練習ぎらいはゴルフがうまい！　目次

第3章　練習しなくてもパーで回れるスウィングの準備

第4章 「合理的なスウィング」を作る3つの要素

第5章 スコアアップのコース戦略

第6章 パープレーにさらに近づく5つの知恵

第7章　とっておきのスコアメイキング

第8章　ようこそ、パープレーの世界へ

＊本著の執筆は著者のボランティアとして協力いただきました。

装丁　副田高行
挿絵　橘田幸雄
組版　スタジオパトリ

はじめに

「ゴルフは難しい」

多くのアマチュアゴルファーはこのことを信じて疑いません。どのくらい難しいかを確かめなくとも、はなからそう信じ込んでいるのです。

たとえば、現在ハンディキャッププラス1の私が「ゴルフの練習はしません」というと、「そんなのウソに決まっている。そういう人に限って隠れてたくさん練習しているはずだ」とか、「特別な才能があるんだ」「素質があるから」「すごく器用な人」と美辞麗句を並べてくれます。

そして、ゴルフが難しいと信じ込んだ人たちの前で、素振りもしない1球目から他の人のクラブで意図した通りのショットを打ったりすると「やっぱりすごい人だ」「ゴルフのセンスがある」と言われます。

そのように感じるのも理解できます。

ですが、私がボールを打つ時にしていることは、おそらく、みなさんがやろうとしていることとはまったく違うものです。だから、練習しなくてもプラスハンディを維持できます。パープレーで回れます。

おそらく、皆さんの方法だとすれば、私がやってもたくさんの練習が必要になるでしょう。週に2~3回は練習場に通って、最低でも1回100~200球を打ち込み、そしてラウンド当日ともなれば、ドライビングレンジでスタート前に念入りなショット練習をし、スタート直前まで、練習グリーンで懸命にボールを転がしているでしょう。

でもその方法では、パープレーの「72」どころか70台だって難しいと思います。

私にはなにも特別な才能や素質があるわけではありません。背が高い、筋肉があるとか、タイガー・ウッズや藍ちゃんのように、子どもの頃からクラブを持っていたとか、運動能力が特別優れていたわけではありません。普通の子どもでしたし、今までも普通のサラリーマンでした。ボールを打つ練習もしませんが、ゴルフのために体を鍛えるトレーニングもしていません。それでもプラスハンディを維持できています。

私が多くのアマチュアゴルファーに伝えたいこと、はやく気がついて欲しいと思っているのは「ゴルフは誰もがパープレーできるゲームだ」ということです。

「そんなの無理に決まっているよ」と多くの人が口にします。そして、これまでにすりこまれた、テレビ、雑誌などのメディアを通しての情報、練習場でのティーチングプロのレッスン、先輩友人などの教えに基づいた自分なりのゴルフの練習を続けてしまうのです。もちろん、どれも間違いではないでしょう。

でも、考えてみてください。何年も何十年も一生懸命に練習場に通っているのに、100や90を切ることに苦しみ、たまに出る80台に一喜一憂しているということは、それは明らかにやり方が間違っているのです。

プロゴルファーを見ていてもわかるでしょう。たとえば若手の女子プロにしても、ゴルフを始めて数年でトップクラスの仲間入りをし、世界の舞台で活躍しています。サラリーマンでシニアプロになった人、社会人からゴルフを始めてスクラッチプレーヤーやクラブチャンピオンになった人もいます。

他の競技では考えられないことがゴルフにはあるのです。彼女たち、彼らが上手くなったのは、みな特別な才能のおかげではありません。「ゴルフの正しい打ち方」、つまり思った通りのボールが打てるスウィングを効率よく、はやく身につけたからなのです。何年も何十年もやってパープレーができないのは、最初から「ゴルフは難しい」と決めてしまうからなのです。みなさんもラウンド回数を重ねているとたまにかもしれませんが、プロ並みのショットが出ることがあるでしょう。チップインバーディやロングパットが決まることもあります。そんなワクワクする瞬間が100を切れないゴルファーにさえ訪れます。ゴルフとはそういうゲームなのです。

巷にある多くの教えの渦に巻き込まれて、あえいでいるアマチュアゴルファーのみなさん。是非、一度私の考えた簡単な方法を試してみてください。

シンプルで合理的なスウィングを基本とした、誰でも簡単にパープレーを実現できる方法です。

「ゴルフは難しくない」

まずはパープレー「72」を目指すこと。上達への第一歩は、ここから始まります。

第1章　ゴルフの目標はパープレー

●目標はパープレーの72で回ること
●なぜあなたは上手くなれなかったのか
●まず、練習することをやめよう
●高い目標を掲げる意味とは
●スウィングほど簡単なことはない
●「上達≠練習≠パープレー」のカメになろう！

目標はパープレーの72で回ること

私はゴルフを3つのパターンに分類しています。1つ目は接待ゴルフに代表される「経済産業省型」です。コミュニケーションを主な目的としている家族、同級生などとのゴルフもここに含まれます。現在、団塊の世代のゴルファーはほとんどがこの型を経験しています。

2つ目はゴルフを生涯スポーツとして楽しむ健康促進のための「厚生労働省型」ゴルフです。高齢者の方があまりスコアを気にせずにプレーする姿がまさにそうで、ここに当てはまります。

そして3つ目はアスリートとしてゴルフに接し、クラブ競技（月例やクラブ選手権）、各県地区の選手権や日本アマチュア選手権を目指すなど、競技としての「文部科学省型」ゴルフです。プロゴルファーもこのカテゴリーに入ります。

日本のゴルフがこれからますます発展していくためには、この3つのパターンがバランスよく広がっていくことが大切です。そして理想を言えば一人のゴルファーが3つの要素を同時に持ち備えられれば、これほど楽しいゴルフライフはないでしょう。会社では接待ゴルフをこなし、上司やクライアントに可愛がられ、休日は歩いてラウンドする健康ゴルフを楽しみ、メンバーコースの月例では競技者として技術を試す……。本当に理想の姿ですが、こんなことができている人は稀です。

それに健康第一の「厚生労働省型」のゴルファーのほとんどは、自分たちは間違ってもアスリート系の「文部科学省型」ゴルフには及ばないと思っています。別世界のゴルフだと距離を置いています。

しかしいずれのパターンにしてもゴルファーなら「もっと上手くなりたい」「前よりいいスコアで回りたい」と思っているはずです。「スコアなんてどうでもいいよ。自然の中でプレーを楽しむのが目的だからさ」と言う人もいるでしょう。

でも本音は違います。

その証拠にバーディが出ればうれしそうだし、大叩きすれば沈みこむのです。山登りのように自然を楽しむだけならバーディもダボも関係ないでしょう。でも1打1打に一喜一憂する。誰もが少しでいいから上手くなりたいと思っているのです。ではなぜ素直に上手くなろうとしないか。

多くのアマチュアが「上手くなる＝練習」という図式を持っています。だから上手くなるには「もっと練習するしかない」と考えます。練習にはお金もかかるし、時間もかかる。それにゴルフの才能や体力もない。大変だから上手くなるのは諦めよう、というわけです。

はじめに述べましたが、私が「ハンディはプラス1です」と言うと、初対面の人はパブロフの犬のごとく「それは相当練習したのでしょうね」「練習場には週に何回くらい行って、どのくらいの球数を打っているのですか？」と条件反射のように同じことを聞いてきます。

これが、そもそもの間違いです。

上手くなりたかったら、まず「上手くなる＝練習」の図式をゴミ箱に捨ててください。

さらに、自分に素直になって目標を高く置くのです。ゴルフのパーは誰もがパープレーできるように人間が作った数字です。決して、悪魔が意地悪して無理難題をふっかけているわけでも、絶対不可能な数字を課しているわけではありません。

私がもっとも声を大にして言いたいのは、誰でもパープレーは可能。スコア72でラウンドできる、ということです。年齢、性別、体型など何も関係ありません。「女性でもですか？」と思われるでしょうが、女性には女性用のティグラウンドがあります。コースは万人がパープレーで回れるように造られています。日常生活に困らないだけの体力があればいいのです。

私がその証拠です。

目標を高く、と書きましたが、これは「100を切る」「90を切る」のことではありません。パープレーの「72」を最初からゴルフの目標にしてもらいたいのです。

たとえばパー4のホールをパーで上がることを考えてみましょう。パーというのは、何かひとつ「いいこと」があれば取れるようになっています。ティショットがよければ、セカンドはショートアイアンで打てるので、2パットでパー。ティショットをミスしたとしても、セカンドで上手く乗せられたら、これも2パットのパー。そしてセカンドをはずしたとしても、アプローチを上手く寄せて1パットならパーになります。たとえサードショットまで全部ダメでも、4打目のパットがよければパーになるのです。

どうです？

4回のショットのうち、1回でも「いいこと」があればパーで、逆に、パー4のホールでボギーになってしまうというのは、4つも「悪いこと」があるということです。ティショットがよくない、セカンドショットでグリーンに乗らない、アプローチが寄らない、パットが入らない。ボギーと言うのは4回全部でミスをしているということです。

この4回のうちの1回が「いいこと」にできればパーは取れます。こう考えると、ひとつのホールでパーを取ることは簡単そうに思えてきます。そして、それを18ホールつなげればパープレーの72です。

私の主宰している『ゴルフ科学研究所』には、上達を目的に多くのゴルファーが集まってきます。そして最初の目標を「パープレーの72で回る」にしてもらいます。こう書くと、荒唐無稽に聞こえるかもしれませんが、みな大まじめです。実際、100すら切れなかった人がパープレーやアンダーパーをマークします。

何十年も真面目に練習してきたにもかかわらず、コンスタントに90を切れないゴルファーは、「パープレーなんてとんでもない。90が切れればそれでいいです」と苦笑いをします。

思えない人は何もしません。

思えないうちは絶対にできません。

まずは自分がパープレーできることを信じて「目標」にしてみましょう。この本を読んでくださっているみなさんが今、「目標は72です！」と宣言しても、何も問題はないでしょう。「72で回る」ことを目標にしたからと言って、税金が増えるわけでもなければ、会社をクビになることもないはずです。

あなたの目標は「パープレーで回ること」です。

なぜあなたは上手くなれなかったのか

さて、ゴルフの目標はパープレーで回ることを前提にして話を進めます。パープレーを目標にすると、日常生活の中でも、人はそのことを意識しはじめます。ちょっと実験してみましょう。

今、読んでいるこの本をひざの上に置いて、そのまま目を閉じてみてください。そして、自分がいる部屋、オフィス、電車の中、どこでも構いません。赤い色の物を10個思い浮かべてください。

どうです？　案外、浮かばなかったでしょう。そうしたら、そのまま目を開けてみてください。赤いものが目にどんどん飛び込んできませんか。「ああ、机の上に赤いペンがあった」「カレンダーの写真が赤いリンゴだ」「後輩の女の子のバッグが赤じゃないか。口紅も赤いぞ」とあっという間に情報が集められます。何かを「意識する」とはそういうことなのです。

もしその情報がパープレーするためのものだとしても、意識していなければ見えないのです。

「でも今まで何度も上達したいと思いましたよ。だけどぜんぜん駄目で……」というゴルファーがたくさんいます。それは目標が曖昧だったことがあげられると思います。

「少しでも遠くに飛ばしたいんです」

どのくらい「少し」ですか？

「1打でも少ないスコアであがりたいんです」

どの時点からの「1打」少なくですか？　誰と比べて「1打」少なくですか？

「上手くいけば85が切れるんですけど……」

今までに何度、上手くいきましたか？　1回、2回？

このようにちょっとつっこんだ質問されるとタジタジになるような目標は曖昧です。しかも目標という土台ができていない上に、否定的なレッスンを受けてしまうことがあるから大変です。たとえば、いいスウィングと悪いスウィングの違いは写真やビデオなどで見て取れます。タイガー・ウッズの腰の開き具合はこうだ、宮里藍のトップの位置がいい感じだ、とは素人でもわかります。しかし問題なのは、これがレッスンでそのまま使われてしまうことです。

巷のレッスンには「頭は動かすな」「わきは開けるな」「腰は開くな」「体重を右に残すな」とネガティブなものが溢れています。

みなさんも思い当たるでしょう。レッスンは否定語「〇〇するな」のオンパレードです。教わるほうは『モーゼの十戒』。戒律だらけです。

最初は自然体でボールの前に立ったのに、アドレスした途端、チェックすることが多すぎます。してはいけないことが多すぎます。

これを病院にたとえてみましょう。風邪をひいたあなたは病院に診察を受けに行きます。そして医者に「どうしました？」と聞かれ、「体がだるくて咳も出ます。なんだか関節も痛いんです」と説明します。

普通の医者なら、風邪の原因を突き止めてそれに対する処方を施します。しかしこれを「〇〇するな」というゴルフのレッスンに照らし合わせてみると、「熱が39度もありますので、明日から熱は出さないようにしてください。のどが痛くなるから咳もしてはいけません。そして関節も痛くしないようにしてください」と言われているようなものです。

これでは風邪はさらに悪化するでしょう。

どうすればいいかもわからない状態です。もちろん、すべてのレッスンがそうではないでしょうが、このような教え方が多いのも現実です。

先日、「3カ月スクールに通ったのだけど、ドライバーがまだ当たらない」という初心者ゴルファーに出会いました。3カ月、週に1回レッスンを受けていてドライバーが当たらないなんて、あってはいけないことです。『ゴルフ科学研究所』のスタッフが「合理的で簡単なスウィング」をアドバイスしました。すると「なんでこんなにすぐ当たるのですか？　3カ月もレッスンを受けてぜんぜんできなかったのに」という具合に10分間でドライバーが打てるようになり、驚いて帰っていきました。

実は私が発見した、パープレーが達成できる「合理的なスウィング」というのがあるのです。そのスウィングをマスターするためには、練習など要らないのです。合理的だから、練習をせず、しかも誰でも簡単に覚えられるスウィングです。チェックポイントが少ないから、「再現性」も高く見た目もかっこいいスウィングです。

「合理的なスウィング」の詳細は後述するとして、問題を抱えてしまったゴルファーたちは実に多くの教えを受けています。そしてそれを全部こなせないと、ボールはちゃんと飛んでくれない、上手くなれないと思い込んでいます。さらに追い討ちをかけるようにテレビ中継でプロのスウィングを見て落ち込みます。体を鍛えないと、筋力をつけないと、余計な思いに駆られます。ゴルフの練習に毎日のように通い、筋力トレーニングもして、ビデオを見て反省、プロをお手本にして……。

ものすごいゴルフ中毒です。

でも、それほどやっても上手くならない、パープレーができないのはなぜでしょう。ゴルフのボールはカラスがくわえて持っていけるほど軽いです。そしてコンクリートの上で落とすとわかりますが、スーパーボールのようによく弾みます。このボールを飛ばすのに余計な力は要りません。

なのにどうして？

まず、練習することをやめよう

自分が上手くなれないと思っている人には特効薬が必要です。何かを加える薬ではなく、いま風に言うとデトックス（解毒）が必要です。毒を出してしまわないといけないのです。毒とは知識です。勉強で得た知識が多すぎるあまり、頭と体を支配されてしまったのです。まず、必要なのはその毒を取り去る作業です。

さて、何から最初に取り去るのがいいのでしょうか。それはみなさんが大好きで、そして上達のよりどころとしている「練習」です。居間のマットの上でも、練習場のマットの上でも、そしてラウンド前、コースの練習場でも繰り返している反復練習のことです。

ここで強く言いたいことは、繰り返し反復によって完全なるスウィングを作りあげるという方法は、一般のアマチュアゴルファーには難しいということです。繰り返し反復することは何かを習得する手段として正しいと思っていませんか。練習したからできるようになるものではないと言うことです。これは日本の教育のよい部分が邪魔をしている現象かもしれません。九九を繰り返し暗誦したり、漢字の書き取りを練習してきた、ものごとを覚える時の習慣です。

たしかに小学生は九九を覚えることが言わば仕事のようなものかもしれません。だから時間もたっぷりと費やすことができました。しかし、多くのアマチュアはゴルフが仕事ではありません。ゴルフで生計をたてているわけではないのです。

もちろん反復練習で上手くなる方法もあるでしょう。実際そうやってクラブチャンピオンになったゴルファーもたくさんいます。でもそんな風に練習するには、人一倍、時間とお金がかかっているのです。

ここで紹介する「合理的なスウィング」をマスターするために、みなさんの生活がゴルフ漬けになるようなことはありません。練習なんかしなくても、すぐに身につくスウィングもあるのだと気がついて欲しいのです。

さらに、このスウィングのいいところは「再現性」が高いということです。そして体にやさしく、腰痛になることもありません。ゴルフの難しさは、スウィング作りの部分にあるのではなく、実際、コースに出て、ゲームとしての「戦略」の部分にあるのです。私はスウィングに絶対の自信があります。ショットの前の素振りさえもしません。しかもこのスウィングは1度マスターしたら、練習しなくても維持できるものです。

高い目標を掲げる意味とは

たとえば年に何度も海外旅行に行くOLを想像してみてください。若い女性によくある旅のパターンらしいのですが、銀座に遊びに行くような感覚で「ヨーロッパにいってきます」と気軽に出かけていく彼女たち。どうしてあんなにも簡単に、遠くの国まで遊びに行けるのでしょうか。

それは「ヨーロッパに絶対行くんだ」と思っているからです。目標に対して最大のモチベーションがあるのです。さらには「パリのシャンゼリゼ通りでルイ・ヴィトンの新作バッグを買う」と言う、ものすごく具体的な「目標」も立てています。これが、いつかお金がたまったら行きたいとか、まずはお金持ちの彼氏を見つけて連れていってもらおう、などと思っていたら、なかなか実現しません。

パープレーの72で回ることも同じです。

みなさんは目標から逆算する考え方を仕事ではしているはずです。しかし、ゴルフになるとなぜかできないようです。営業マンなら売り上げ目標、製造者なら納期目標があるでしょう。具体的な目標があって、その実現に向けて行動する。その方式をゴルフにも取り入れればいいだけです。

みなさんは同僚や上司と、鰻を食べに行ったとき何を注文しますか。「梅」だとちょっと寂しいし、「松」は贅沢すぎるし、無難な「竹」と決めて頼んでいませんか。コンペで100以上はちょっと寂しいし、80台は無理だし、まあ92、93、最悪100打たなければいいや、とゴルフに取り組んでいるのと同じです。

クラブを選ぶ時も同じことが言えます。8・5度だと上がらないし、11度じゃかっこ悪いし、だから9・5度。シャフトについてもRを使うほど非力じゃないけど、Sを使うほど力もない。だからSRでいいかな、という具合で選んでいませんか。

近いうちに昼飯に鰻屋に行ったら躊躇せず「松」を注文してみてください。「松」を注文することで、その日のコーヒー代がなくなるかもしれません。同僚にうらやましがられるかもしれません。上司に嫌味を言われるかもしれません。でも、日常生活のちょっとしたことでモチベーションがアップする気分を味わえます。それで午後の仕事がはかどるかもしれません。自分に少し自信がつくかもしれませんし、贅沢な気分になれるかもしれません。

パープレーを目指す気持ちは、当然、並よりも上、「松」の気持ちです。日常生活の中で上昇志向になる感覚を体験して歩み寄っていくと、そのうち自然に「目標はパープレーだよ」という気持ちになり、そうした言葉が自然に飛び出してくるはずです。そして、本当にそういう気持ちになれたら、パープレーで回れるようになるのです。

スウィングほど簡単なことはない

この本の担当編集者は「まずはパープレーを目標にするところから始めます」と言った途端、首をかしげていました。3歳からピアノを始め、音楽大学で勉強するようになるまで毎日3時間も4時間もピアノを弾いて、必死に練習してきた女性編集者です。「ゴルフもピアノと同じで毎日の練習の積み重ねが必要だと思います。大人になってからゴルフを始めて、基礎もできないうちにパープレーを目指すなんて、譜面も読めない人にショパンやベートーベンの難しい曲を弾いてくださいと言っているのと同じではないでしょうか」ときっぱり言うのです。

このように勉強でも芸事でも、子どもの頃から大変な思いをして積み重ねてきたものがある人には、普通の人以上に「上手くなる＝練習」の図式がすり込まれています。

でもそれならなぜ20歳を過ぎてゴルフを始めた人がシングルになれるのでしょうか。ゴルフに夢中だったとは言え、普通のサラリーマンが50歳を過ぎてシニアプロになれるのでしょう。

ゴルフは社会人になって始めてもクラブチャンピオンになることができます。レイトビギナーという言葉があるように、30代、40代、50代で初めてクラブを握ってスクラッチプレーヤーになったという人も大勢います。しかしピアノやヴァイオリンを50歳過ぎに始めて名手になった人というのは聞いたことがありません。

実は、スウィングは楽器を弾くほど「難しくない」ものなのです。「難しくない」という意味は、スウィングで使われる体の動きにはまったく「ムリがない」ということです。スウィングは誰もが日常生活の中で使っている体の動きだけで簡単にできる動きなのです。だから、練習しなくてもスウィングできます。それに対してピアノもヴァイオリンも、あのように指を細かく使う動作は日常生活の中にはありません。１本１本の指を間違えないようにムリに動かすには、それこそ子どもの頃からの「訓練」、つまり練習が必要です。

ゴルフのスウィングはコーヒーを飲むことと同じくらい誰にでも普通にできる動きです。従ってコーヒーを飲むのに練習が必要ないように、スウィングにも練習は必要ありません。

「上達≠練習≠パープレー」のカメになろう！

私はもともときつい、辛い、苦しいことがきらいです。練習場でコツコツとボールを打って、機械のように同じ動きを体に染み込ませようとすることを面白いと思ったこともありません。練習することを悪いとは思いませんが、ひとつ言いたいのは練習場でムダなことをしている人が多過ぎて、実にもったいないということです。

ムダな練習は下手を固めるだけです。明確な目的も持たず、ただボールを打っているゴルファーは上手くなるどころか、どんどん下手になっているだけなのです。

私も以前はサラリーマンでした。寒いのが苦手なのと、春はひどい花粉症が理由で12月から4月の間は、ほとんどラウンドせず、もちろん練習場に行くこともありませんでした。そんな状況でも、毎年5月のクラブ選手権の予選に落ちたことは一度もなく、常に上位で通過できています。関東アマチュア選手権の予選にも何度も通過していました。

「合理的なスウィング」を身につけているおかげだと思います。

「練習もしないで、関東アマの予選に通るなんて、5月から11月までは仕事もせずにゴルフ場に入り浸っていたんじゃないの」と思われるかもしれませんが、何しろ普通のサラリーマンだったので、ラウンド数も少ないほうでした。日本アマに出場したことのある選手に、これまでにどのくらいゴルフ代を使ったかのアンケートを取ったら、間違いなく私が一番少ないはずです。

このように言うと決まって「もともと才能があったんだ」「素質があるから」と私を特別な人のように思うでしょう。でも私は自分で言うのもなんですが、ごくごく普通の人間です。才能も素質もありません。ゴルフは普通の人でもパープレーできるゲームなのです。

多くのゴルファーが「練習＝上達＝パープレー」という図式を信じていますが、私の図式はまったく違います。

練習しても上達しません。練習を重ねていけばいつかパープレーが出るわけでもありません。「練習≠上達≠パープレー」です。

私は18歳の時に初めてクラブを握りました。父親とのコミュニケーションが取りたくて、父親の練習についていきました。しかし当時は今とは違い、学生の分際でゴルフなんてとんでもない、と言われた時代です。

学生のアルバイト代が1日1000円程度の時代に、ゴルフ練習場は今と同じか、それより高くて1回2500〜3000円という金額でした。練習代をかけられないことが私のスウィング研究のきっかけになったわけですが、ゴルフはたくさんの球を打てば上手くなるものではない、ということにすぐに気がつきました。

父親が愛読していたレッスン書や雑誌をつらつら見ると、さまざまな手法、違う解説、間逆なこと、一貫性のないことばかり書いてある、と思いました。そしてなによりスウィングは「動的」なものなのに「静的」な写真を真似ても意味がないと思いました。

重要なのはフォームではなく、クラブヘッドの動きだということにも気がつき、ヘッドがボールにどのように当たり、どのように動いているかを3次元的に考えてみました。そしてあれこれ研究しているうちに、パープレーでラウンドすることは難しいことではなく、「自分もできる!」と思うようになったのです。

誰もが知っている寓話に「ウサギとカメ」の話があります。あの話でカメはコツコツと焦らずに堅実に走ったからウサギより先にゴールできた、という解釈があります。確かにそれもひとつの解釈ですが、こうも言えませんか。

ウサギはカメを見て、カメに勝とうと思って競走していたけれど、カメはゴールだけを見ていた。だからカメは勝ったのだ、と。ウサギが走っていようと寝ていようが、どんなフォームで走ろうがカメにはまったく関係なかったのです。カメの目標はウサギと競争することではなく、ゴールにたどりつくことだったのです。

私もゴルフに関しては、最初から「パープレー」というゴールを見て、自分なりのスタイルで走ることができたのです。

私の最初のラウンドは18歳。初ラウンドは「62・59」というスコアでした。それから「パープレー」を目標にあれこれスウィングを研究するようになり、ちょうど1年後に2回目のラウンドをしました。その間、コースにはまったく出ていません。練習場でも父親のおこぼれ程度にしかボールを打てませんでした。それで2回目のラウンドでハーフ「37」が出ました。私は1年で「合理的なスウィング」をほぼマスターしていたので、その結果だとは思いましたが、父親などは本当にびっくりしていました。

みなさんもカメになってみましょう。最初から迷わずに「パープレー」というゴールを目指すのです。

第2章

パープレーで回るための基本

- ●ゴルフの基本は「パーオン」にある
- ●ホールのレイアウトを覚えよう
- ●スウィングはコーヒーを飲むように
- ●ショット前のアソシエイトとデソシエイト

ゴルフの基本は「パーオン」にある

パーを取る基本は「パーオン」させることにあります。

そんなこと当たり前だと思われるでしょう。しかし多くのアマチュアゴルファーはパーオンさせようとは思わずに「グリーンにできる限り近いところに運べばいいや」くらいにしか思ってないようです。

なぜそういう風にしか思っていないのかといえば、自分は「まだ」そんなレベルではないから、と勝手に決めているからです。

そんなふうに決めてしまうと「パー」というのはとても難しいものになってしまいます。グリーンの近くまで運べばいいという考え方は、裏を返せば「乗れば儲けもの」というアバウトなゴルフなのです。

そういうゴルファーは、たとえ女性やシニア用の距離の短いティグラウンドから打っても結果は一緒で、パーオンはできないでしょう。

ゴルフのコースというのはパーオンを前提に作られています。そのためにティグラウンドの種類も多様にあります。見栄をはって無理にバックティからラウンドして大叩きするゴルファーがいますが、愚の骨頂です。

たとえば、バレーボールの試合を思い浮かべてみてください。現在女子のバレーボールのネットの高さは公式戦で2メートル24センチです。全日本女子のメンバーであれば半数以上が身長180センチを超えていますからちゃんと試合になります。「速攻」や「時間差攻撃」、「フェイント」など作戦を使えます。アタックやブロックなどで「攻めと守り」のゲームが展開できます。ゲームではこの「攻めと守り」ができないと楽しくありません。

しかし趣味でやっているママさんがこの高さでやったら、そのようなゲーム性はなくパスだけのつまらないバレーボールになってしまいます。趣味でやっているのに、ちっとも楽しくありません。そのためママさんバレーのネットの高さは2メートル5センチに設定されているのですが、ゴルフでもレギュラーティ、フロントティ、シニアティなどを自分の腕前、飛距離に応じて使うべきです。

見栄をはってバックティからラウンドしても、90切れるかどうか、たまに80台なんていう状態であればつまらないだけです。

パープレーで回るスクラッチプレーヤーは18ホールのうち、平均して12〜13回はパーオンしています。残りの5〜6回はアプローチで寄せて1パット。これでパープレーです。

12、13回パーオンさせられるようになると、グリーンをはずしてもアプローチする場所は、グリーンエッジかカラーが多くなります。だからワンパットの距離に寄せられたり、チップインが生まれるのです。

みなさんは自分のプレーが終わったあと、パーオンはいくつ、とすぐに言えますか。赤、白、青、黒……どのティを使うと12〜13回パーオンできそうかと考えたことがありますか。まずは自分の実力、飛距離を知ることが大切です。

ホールのレイアウトを覚えよう

「俺、コース覚えないので有名なんだ」

ゴルフコースのレイアウトを覚えられないゴルファーが負け惜しみのように言うのを何度も耳にしたことがあります。反対に、シングルプレーヤーになると、ほとんどの人は初めてのコースでも、1度回ればレイアウトは自然に覚えてしまいます。中には同伴プレーヤーのスコアや何番でどう打ったのか、いくつパットしたかをスラスラと言える人も少なくありません。

何十回も行くコースを覚えられないアベレージゴルファーと、初めてのコースでもすぐにレイアウトを記憶してしまうシングルプレーヤーの違いは何でしょうか。

これは「運転手」と「助手席で寝ている人」の違いに他なりません。

運転手であるスクラッチプレーヤーは自分の足で歩いてラウンドしても、カートに乗ってもありとあらゆる情報を収集する姿勢でプレーしています。コースの起伏はもちろん、バンカーの位置、樹木の位置、フェアウェイやグリーンの状態から風向き、湿度、気温までを肌で感じて自分のプレーに役立てるために「運転」しているのです。

逆に「助手席で寝ている人」は文字どおり寝ています。寝ていて起きたら、突然、目の前に谷越えがあります。そして深いバンカー。ボールがどこにあるかわからないような林の中に迷い込んでいることもあります。

「助手席で寝ているゴルファー」はスウィングがよくなったとしても、スコアはアップしないでしょう。この点が多くのゴルファーが勘違いしているところでもあるのですが、スウィングさえよくなればスコアアップ！ と短絡的に直結して考えていることが間違いなのです。この点については追って解明していきますが、ゴルフは「コースを攻略するゲーム」です。スウィングだけを考えて、コースのことを知ろうとしない人にスコアアップは見込めません。

いくら私が練習をしないといっても、ゴロゴロと助手席で寝ている生活をしていてはプラスハンディは維持できません。

頭を使って、常にゴルフの本質を知ろうとしています。ゴルフを研究しています。その根底にあるのはやはりゴルフが好きだし、もっと上手くなりたいし、競技者として勝ちたいという思いがあるからです。

ゴルフに対する向上心のない人。スコアはどうでもよく、ただレジャー、暇つぶしとしてゴルフをやっている人。このような人はこの本を読む必要はないでしょう。でも、少しでも上手くなって楽しいゴルフをしたいのであれば、スウィングだけでなくゴルフコースのことにも興味を持ちましょう。

コースに興味を持つといっても、「名門と言われている」「有名な設計家が作っている」「トーナメントを開催している」といったことではありません。あくまでプレーをするのは自分です。自分がコースに出た時に「どういうボールを打てばパーで上がれるのか」ということを軸にして、いろいろ考えるのです。

ゴルフゲームを楽しむために想像力を膨らませるのです。そのためには、当然のことながらコースのレイアウトを覚えたほうがいいでしょう。最初は難しくても、そうした気持ちを持ってコースと接していくと、自然に覚えられるようになります。

コースを知る。これがパープレーの近道でもあるのです。

スウィングはコーヒーを飲むように

さて、ここまでパープレーで回るための最初の目標がパーオンであること、ホールレイアウトを覚える必要性を述べてきましたが、72を目標に出来る「合理的なスウィング」とはいったいどんなものかとお考えでしょうか。

私の考えたこのスウィングの特長を最初にひとつあげるとすれば、「無意識」にできるという点です。私の覚えたスウィングの動きにはまったく無理がなく、日常にある動作だけでできます。無意識とはそういう意味です。他の言葉を使うなら「潜在能力」でできるということです。実はこの、誰もが生まれながらに持っている潜在能力を多くのゴルファーは信じていません。潜在能力にまかせておけばいいのに、わざと意識し、自然な動きを止めてしまっています。

みなさんはコーヒーカップでコーヒーを飲むとき、いちいち何か考えながら飲みますか。利き手の中指を中心にカップを支え、親指を添えてバランスを取り、口までカップを持っていく角度やスピードを計算したりするでしょうか。

あり得ません。

普通の体力を持ち、普通の運動神経の人なら、誰でも日常的に上手にコーヒーを飲んでいます。今日はプレッシャーがかかっているから上手く飲めない、一緒にいる人が苦手だからコーヒーをこぼしてしまう、といったこともありません。仮に、緊張して、どうしても上手く飲めずにこぼしてしまう人がいたとしても、それを「練習不足だから」と思い悩む人はいないでしょう。

はたまた上手く飲めない人のために『ドリンクダイジェスト』の記者が、飲み方のプロフェッショナルのオザキ氏のところへ取材に行き、「正しい飲み方の秘密は右ひじの使い方にあった」「カップを持つ手首の角度は45度が正解！」などと記事にすることもありません。

しかし、ゴルフスウィングのレッスンにはこのような奇妙な現象が起きている気がします。

コーヒーを飲むように無意識にできることなのに、それを意識させています。逆に受け取り側も、何も考えなくていいのに、わざわざスウィングが難しくなるような、さまざまなものを身につけようとします。

アベレージゴルファーは実に多くの種類の情報を信じて、時間のある限りトライします。とても努力家で、毎日、毎週、練習場で「開眼、開眼！」と喜んでいる人も少なくありません。

しかしその度に、暗いトンネルに迷い込み、やがては迷子になっています。

私の考えたスウィングは、みなさんがコーヒーを飲むのと同じです。

コーヒーを飲みたいから飲む。あとは体が勝手についてきます。

「フェアウェイの真ん中のあそこまで打ちたいから打つ」と思えば、体はそのように動くのです。第4章で説明しますが、パーで回れるスウィングは潜在能力だけで十分にまかなえるのです。

パープレーを目標にして、さらにその目標をグリーンへのパーオンに絞り、パーオンさせるために、ホールの形状を仔細に観察、想像し最初にボールを運ぶ場所を決めます。ボールは「落とす」、と言うより「運ぶ」と言ったほうがいいでしょう。そのほうが気持ちも乗っていきます。ここまで決めたら後は何も考える必要はないと思ってください。実行あるのみ、です。

ショット前のアソシエイトとデソシエイト

「合理的で簡単なスウィング」の打ち方に入る前に、スウィング前の気持ちのルーティンについてお話しましょう。

私は「アソシエイト」と「デソシエイト」が決め手になると考えています。自分の感情が伴っている状態をアソシエイト、そして感情が切り離されている状態をデソシエイトと呼びます。

これはどんなレベルのゴルファーでも無意識にやっていることなのですが、ボールを打つには「準備」「決断」「実行」というプロセスがあります。難しいことではありません。使うクラブと打ち方を考えて、決断して振るだけです。

「準備」の際は自分の感情が伴っている「アソシエイト」の状態です。どのようなショットが出るとうれしいか、どんなショットが出ると怖いかという「感情」が危険を察知してくれる役割もしてくれます。

そして「このパー3は7番アイアンでピンの右にボールを運ぼう」とショットの「決断」をしたら、今度は感情を切り離して「デソシエイト」の状態を作りましょう。ようするに「決断」した直後からは、一切の感情を断ち切ることが大切です。

アドレスしたら、もうあれこれ迷ってはいけません。感情を伴っていていいのは、「こんなボールを打つ」と決める瞬間までです。あとは無意識の「デソシエイト」で打つのです。

打つ時になっても感情を切り離せないのは、「準備」段階で決めたことに自信がないからです。自信がない上に、はっきり「決断」していないのかもしれません。

「この風だと7番？　あれ佐久間ちゃん8番で打ったの。じゃ、俺は9番で飛ばしちゃおうかな」などという感情もいただけません。ホールや風などの状況を観察し、冷静な感情で「準備」、「決断」したいものです。

たとえば朝イチのショットで気持ちよく打ちたいなら、まずは冷静な感情で使うクラブ、打ちたい球筋（フェード、ドロー）と弾道（高い球、低い球）、そしてボールを運ぶ地点を決めましょう。

そしてその「決断」に自信を持ちましょう。そこまできたら、あとは「デソシエイト」、感情を断ち切ってスウィングを「実行」するだけです。

それではいよいよ72で回れる、「合理的なスウィング」を説明することにしましょう。誰でも簡単にできるスウィングです。

第3章　練習しなくてもパーで回れるスウィングの準備

●特別な体の動きを覚える必要はほとんどない
●人さし指を中心に回転する「左腕」
●小指を中心に回転する「右腕」
●どこまでも自然についてくる「下半身」
●できないことをやろうとするから難しくなる

特別な体の動きを覚える必要はほとんどない

それでは72で回るための「合理的なスウィング」を行う準備に入っていきましょう。

まず最初に、ゴルフをするためには、イチから体を作る必要はない、ということを知ってください。

人間の体は、スウィングに必要な動きができるように作られています。割合から言えば90パーセントはすでに完成しているのです。幼少の頃からゴルフをやっていたとか、ゴルフをやって何十年とか、年齢、性別にも関係なく、まったくゴルフをやったことのない人でも、90パーセントはできています。生まれながらにして、もともと体にプログラムされているのです。

その90パーセントとは、「立つ」「振る」「距離」「手の動き」「下半身の動き」のことです。

まず「立つ」と言うことですが、これは両足で自然に立てると言う意味です。

「振る」はゴルフクラブを思い切り振っても倒れない体と言うこと。初めてゴルフクラブを握った子供でも、しっかり立てる年齢に達していれば、無意識にバランスを取って自然なフィニッシュができています。4、5歳の子供が練習場で振るのを見る機会があったら、じっくりと見て下さい。大きく振ってちゃんとフィニッシュしています。それを見ると「ああ、やっぱり小さい頃からやっていると違うな」と思われるでしょう。でも、それは勘違いです。スウィングというのは、子どもが見よう見まねですぐにできてしまうくらい簡単なことなのです。

「距離」というのはボールと体との距離を「少し遠い気がする」「近すぎる」という具合に、自然調節できる能力のことです。何センチ前へ、上体を何度前傾してなどと測らなくても自然にできる能力が「距離」です。ちょうど車を運転する時に、シートの位置を感覚だけで調節できるのと同じことです。運転席に座ってシートからアクセルの位置まで何十センチなどと測る人はいないでしょう。スウィングに必要な「距離」は感覚に頼って大丈夫なのです。

そして「手の動き」。スウィングに使う手の動きは、ピアノやギターのように訓練を重ねなければできないものではありません。ゴルフの「手の動き」は日常動作の中にすべて含まれているからなのです。ピアノもギターもあんなに細かい手の動きは日常生活の中にはありません。だから練習が必要なのです。

これに対してゴルフでは、難しい動きは要求されません。私たちがもともと自然にできる手の動きだけで十分にボールは打てます。

最後に「下半身の動き」は、歩いたり、走ったり、階段を上り下りできる体の能力があれば、何の問題もなくスウィングできるということ。もちろんスウィングのために動かし方を練習したり、下半身を鍛えたりする必要はありません。

このようにゴルフをするための動きの90パーセントはできています。イチから始める必要のないことを覚えておいてください。

人さし指を中心に回転する「左腕」

ゴルフに必要な体の動きがわかったら、今度はクラブをグリップする「手」に注目してみましょう。

ゴルファーのほとんどが、左人さし指と右小指を重ねるオーバーラッピングか、左人さし指と右小指を絡めるインターロッキングで握っていると思いますが、なぜこんな握り方をするのでしょう。

私はゴルフを知った頃、とても不思議に思いました。どちらの握り方にしても、左の人指し指と右小指を連携させて握ります。その理由としてレッスン書には「両手の一体感を持たせるため」とか「右手を殺すため」と書かれていました。

しかしこれは、クラブヘッドを合理的に速く動かすために生まれた画期的な発明だったのです。

左腕を肩の高さに上げて前に伸ばしてみてください。手のひらを開いて地面に向け、指先を伸ばします。この状態から次に、小指と薬指とを素早くギュッと握ってみてください（59頁イラスト参照）。小指と薬指をゆっくりたたむのではなく、スピードをつけて素早く握ります。すると腕が自然に反時計回りに回転し、ピストルのような形になって、手のひらが右（飛球線後方）を向くような状態になります。

左手を前に出してギュッと2本の指を握ったこの動き、ピストルの形を作る左手の動きこそが、ダウンスウィングからインパクトまでの一連の動きなのです。そしてピストルの形になった左手こそ、まさにインパクトの瞬間です。

この動きを見ると、左の人さし指が中心になって回転していることがわかります。親指でも中指でもありません。ちょうど人さし指を支点にして手のひらはスピーディに反時計回りで回転しているのです。

このとき、左手のひらとクラブヘッド、クラブフェースが連動していることはいうまでもありません。

つまりクラブヘッドがインパクトに向けてすばやく動き、クラブフェースがすばやくターンするためには、左の人さし指を中心に左腕を回転させるのが、自然で合理的だということです。

ヘッドスピードを上げ、飛距離を出すためには、左の人さし指を中心にして手のひらを回転させる。小指と薬指をすばやくたたんでピストルの形をつくる、です。何も難しいことはありません。

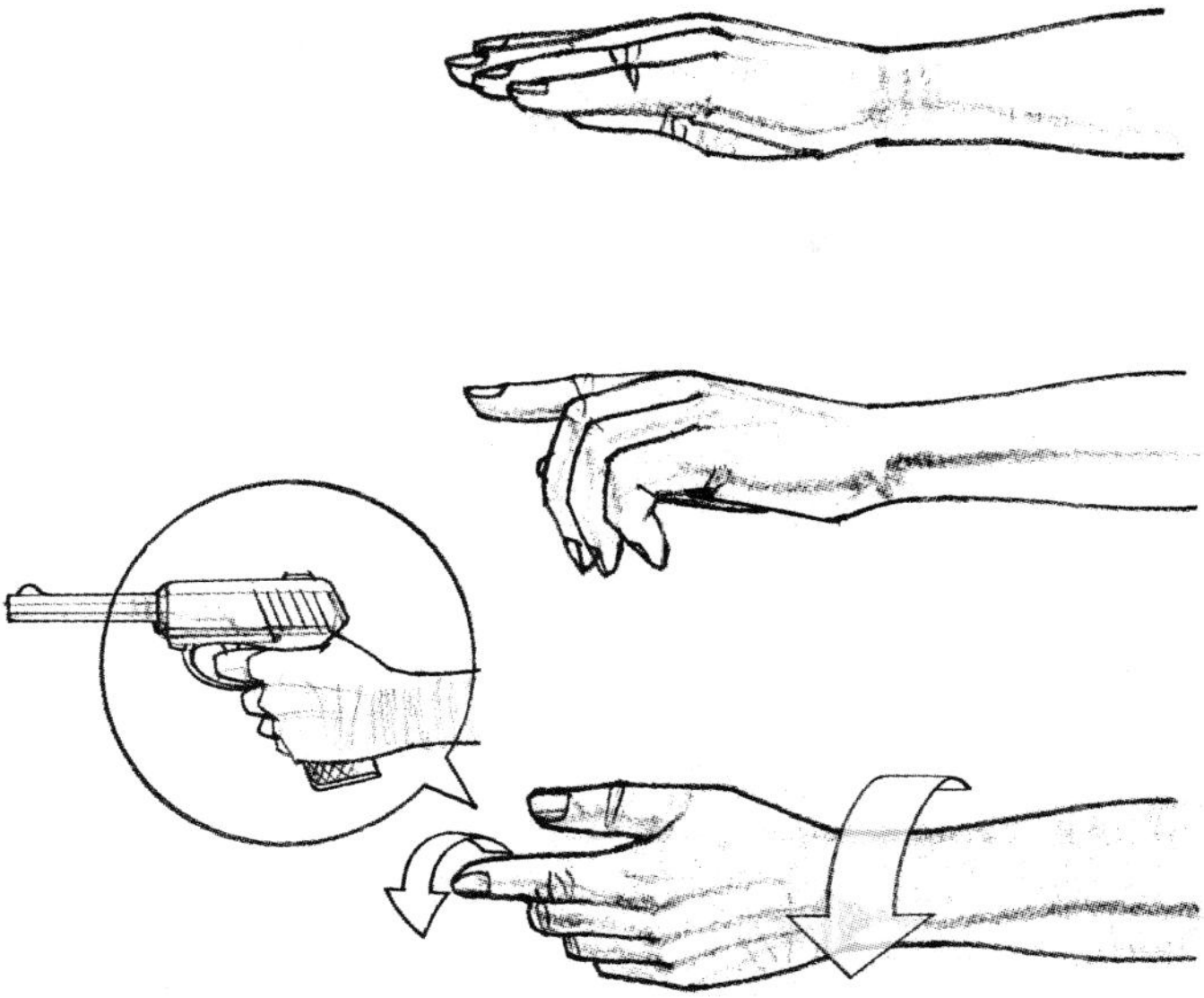

ヘッドスピードをあげるの左手の動き

左腕をまっすぐに伸ばし、小指と薬指をキュッと強く握ると、ピストルの形ができます。この動きこそが、インパクトエリアでの動きで、ピストルの形がインパクトの瞬間です。

小指を中心に回転する「右腕」

左腕は左の人さし指が支点になると、回転のスピードが出るということがわかりました。それでは右手はどうでしょう。

右打ちを前提に説明しますが、インターロッキングにしても、オーバーラッピングにしても左人さし指に右手の小指を絡めます。では絡めるのは、なぜ右の薬指ではないのでしょう。その仕組みを説明します。

右腕を左腕と同じように肩の高さに上げて真っすぐに伸ばしてください。右手のひらは左（飛球方向）に向けます。その状態から右ひじを、右胸を開くように引き寄せてください（61頁イラスト参照）。

右ひじを、と意識させるような書き方をしましたが、力を抜いて、自然に右手を自分のほうに引いてみてください。そうすると自然に手のひらが空を向きませんか？　何度か繰り返しやってみてください。そしてこのときの手のひらは、どの指を中心に回転し

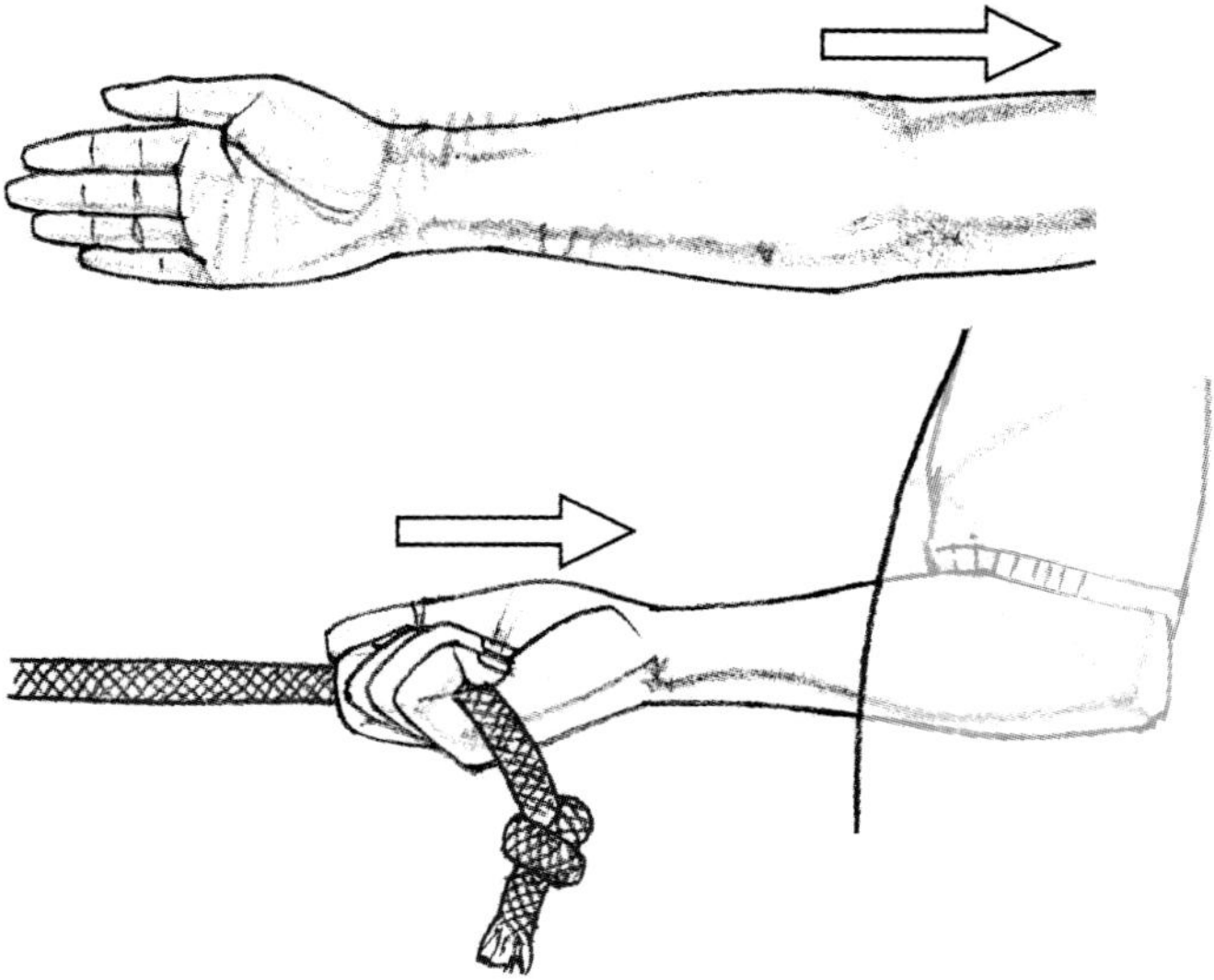

最大限のパワーを生む右手の動き

右腕をまっすぐに伸ばし、右ひじをわきの下に引き寄せます。今度は右の小指を中心に手のひらが回転するのがわかるでしょう。この動きがアドレスからの始動になります。綱引やロープを引き寄せるイメージで行うと簡単にできます。

ているか見てください。

左腕は左の人さし指を中心に回転しているのに対して、右腕は右の小指を中心に回転していることがわかります。

この右手を引く動作はテークバックの動きそのものです。この動きについては、4章のスウィングのところで詳しく述べますが、私は腕が回転する動きを意識してやっているわけではありません。このように腕が回転する動きは、前腕部分の「とう骨」と「尺骨」という2本の骨の動きで自然にこうなるのです。もちろん2本の骨のことは、スウィング中はまったく意識する必要はありません。

「とう骨」と「尺骨」はひじと手首の間にある骨で、親指側に「とう骨」、小指側に「尺骨」があります。言ってみれば、右小指を支点にしたテークバックと、左人さし指を支点にしたダウンからインパクトまでの動きは、どちらもこれらの骨に逆らうことのない動きなのです。

このように両腕の回転の中心となる指をグリップで重ねることで支点を一本化させ、最大限のパワーを引き出します。右の小指と左の人さし指を一体化させることで、ヘッドスピードが効率よく上がって、ボールを無理なく飛ばせるようになるのです。

グリップの正体が解明できました。ゴルフの歴史の中で経験的に生み出されたグリップ、オーバーラッピングやインターロッキングがすたれないのは、その合理性ゆえです。

こうしてヘッドスピードの出る仕組みがわかると、グリップひとつ握るのも、俄然、楽しくなってきませんか。

どこまでも自然についてくる「下半身」

この章の冒頭で、ゴルフで使う体の動きは「生まれながらにプログラムされている」と言いました。すばらしいことに90パーセントも備わっています。それなのに多くのアマチュアゴルファーはゴルフのための体をイチから作ろうとしてしまいます。

多くの人はレッスンを受ける時、「イチから教えてください」と言うようです。私に言わせれば、イチからなんてもったいない。90パーセントはできているのですから、「残りの10パーセントを教えてください」でいいのです。

ここでは多くのゴルファーが気にする「下半身」について説明します。勝手についてくる仕組みがわかれば不安にならず、スウィングの動きもシンプルになります。

さて、まずは両足で自然に立てることが大切だと述べましたが、クラブを振ると、それだけで下半身に力が入ります。自分が力を入れようとしているのではなくて、自然に力が入るのです。

何も考えずにクラブを振ってみてください。下半身が体を支えようとして自然に力が入るでしょう。足のどの部分に何割だ、とか特に親指に力がかかるとかではなく、下半身全体に条件反射的にパッと力が入るのです。そしてその自然な力こそが上半身の回転にスピードを与えてくれます。もし下半身にまったく力が入らなかったら、立てもしなかったら、クラブを振れないのは当たり前です。

ゴルフの体をイチから作るのでなく、まずはこのように誰もが持っているほぼ完成している90パーセントの動きを使うことを考えましょう。これもまた潜在能力です。多くのゴルファーは潜在能力でゴルフのために自然に動いてくれる体に、「あれやっちゃ駄目」「これも駄目」「こうしなさい」「ああしなさい」と押しつけ教育をしています。その押しつけが、体の自由な動きを妨げ、スウィングを難しいものにしてしまうのです。押しつけばかりの教育を受けた子どもはどうなりますか。素直じゃなくなるでしょう。みなさんの多くは、ひねくれた体になってしまっているのです。

ゴルフのレッスン書などにはよく、プロのダウンスウィングの写真が掲載されています。手首のところに角度を強調するためのラインなどが引かれ、「この角度をキープすることがタメを作り、インパクトのスピードを上げるために必要です」といったことが詳しく書いてあります。

しかし、仮に手首が90度折れて、腕とクラブシャフトが直角だったとしても、少し違ったアングルから写真を撮ると、錯覚で45度にも見えることもあります。

この写真を見たゴルファーは、「へえ～、やっぱりこれくらいリストをタメなければいけないのか。だから飛ばないいんだな」と思ってしまいます。でも、考えてみてください。手首なんて90度以上も曲がるはずがないのです。それを一生懸命やろうとしてもできるはずありません。

ゴルファーの多くはここで自分の練習が足りないせいだとか体が硬いせいだと思って

しまいます。または運動能力がないことにがっかりしてしまいます。

さらに多くの前向きな人は、「ゴルフは難しいから頑張ろう」と思って一層、練習に励むでしょう。下手を固めてしまうことに気づかずに。

手首もそうですが、下半身は特に、何も意識しなくとも必要な時に必要なだけ力が入ります。つま先、かかと、ひざ、股関節、腰の動きなどまったく意識する必要はありません。ヒールアップだとか、ニーアクション、フットワーク、ウェートシフト、左腰のリードなどといった下半身を動かす意識もそれらと一緒に捨ててしまいましょう。

何も考えなくても、余計な練習をしなくても下半身は無意識に動いてくれます。スウィングは歩いたり走ったり、階段を上り下りするのと、まったく同じです。

私がスウィングを覚えるのは簡単で、練習しなくても誰にでもできるというのは、そういうことです。

できないことをやろうとするから難しくなる

さて、みなさんがたっぷりと意識してしまう下半身の話の続きです。下半身というと代名詞のように「ウェートシフト」「体重移動」という言葉がついてきます。しかしそんな言葉は今日限り忘れてしまいましょう。その方がはやく上達でき、パープレーに近づけます。

そもそも、アドレスでは5分5分に体重をかけて、テークバックではそれを右に移して、トップの位置では8対2で右足にかけて、インパクトでは云々など、到底できる芸当ではありません。

プラスハンディの私でさえ、体重移動など考えてスウィングしたことがありません。コースに行った時のことを考えてみてください。コースは練習場のように平坦ではありません。足場が悪くて上手く立てない状況がいくらでもあります。平坦な練習場でも難しいのに、そんな不安定な場所で「体重移動」が上手くできますか。それこそプロスキーヤークラスの技術が必要になります。

「一流のプロは体重移動ができているから」と思う人が大勢います。上達することは体重移動を完璧にマスターすることだと勘違いしているわけです。もちろん、プロは体重移動ができているかもしれません。しかしプロゴルファーは、毎日、必死で、すべての時間をゴルフに費やしているのです。

ゴルフを仕事としない我々アマチュアが、プロゴルファーと同じ方法で上手くなることの間違いに、はやく気づきましょう。我々には我々のやり方、合理的な上達の仕方があるのです。

ゴルフクラブを手にして振れば、下半身はクラブヘッドに引っ張られて、その結果、自然にウェートがシフトするだけの話です。なぜ「右に左に」と体重を珍道中させ、「何対何」と数学の教師のようになってしまう必要があるのでしょうか。

体重移動をとってみてもわかるように、ゴルフのレッスンにはシンプルなものをややこしくしてしまう風潮があります。

たとえば、子どもに投球方法を聞かれたお父さんは「ほら、こうやってボールは投げるんだよ」と見せて教えるでしょう。子どもにまさか、構えでは左右の足に5対5で体重をかけて、振りかぶったときに右足に体重を云々、という説明はしないはずです。

ゴルフもそれがいいのです。

今のティーチングプロを見ていると、コンピュータがないと教えられないのかと思うくらい機器を駆使しています。赤や青のラインを引き、スローモーションで体の動きを見せて体重の比率を説明します。

それが悪いとは言いません。それも方法のひとつですから。でも、そうした方法で上手くいかないゴルファー、あるいはそうした方法に疑問を感じるゴルファーなら、私の言うことに耳を傾けて欲しい。そう願います。

自分が決めた行動、たとえば腕を振りたいと決めたら、下半身はその目的を達成するために、確実に反応してくれます。そして必要にして十分な体重移動が自然に起こります。ヒールアップやひざの動きなども意識する必要はなく、普段立っているようにさえしていればそれでいいのです。逆に意識することが自然な動きを妨げ、ミスショットを呼び、上達を遅らせます。

私がいくらこう主張しても、納得しないゴルファーも多いことでしょう。ですが、本当に下半身のことは何も考えないで振ってみてください。

間違いなく、いままでよりもラクに、そしてスムーズに振れるはずです。

第4章 「合理的なスウィング」を作る3つの要素

完全なストレートボールなんて打てない！

多くのアマチュアゴルファーがかかっている病気に「ストレートボール症候群」というのがあります。どんな状況でもまっすぐに球を飛ばせるスウィングを身につけたい。完璧なスウィングというものが存在し、それをマスターすることができれば良いスコアが出せるようになる。私のスコアが悪いのは完璧ではないからだ。そのように思ってしまう症候群です。

しかし、ストレートボールを打つことは、プラスハンディの私でも無理ですし、プロゴルファーでも完全には打てません。仮に目標地点に寸分の狂いなく運べたとしても、ボールは空中で微妙に曲がっています。

良いスコアを出すことを目的にプレーするのであれば、決してストレートなボールがいつも打てるスウィングを作ろうとはしないことです。

ナイスショットを打つためのスウィング。あくまでもスコアメイキングのための手段にすぎません。

しかし、スコアがうまくまとまらない多くのアマチュアゴルファーは、手段であるはずのスウィングを完璧に作ることが練習場に行く目的になってしまっているように感じます。ショットを真っすぐにするためにクラブヘッドをオンプレーンに振る練習を繰り返すのです。やがていつかはきっと完璧なスウィングが完成することを信じて。

そして完璧なスウィングが完成してから、インテンショナルショットを覚え、アプローチ、バンカー、パッティングを練習し、傾斜やラフの対応を学び、それからメンタルトレーニングです。

こんなやり方で良いスコアが出せるようになるのでしょうか。絶対に無理です。なぜならクラブヘッドを寸分の狂いなく、毎回スウィングプレーンに乗せて振ると言うことに完成はないからです。まるで終わりのない旅のように。

いつも狂いなくオンプレーンに振ることは、シングルでもスクラッチでも、プロゴルファーでさえ不可能なことです。

リラックスできている練習場ならいざ知らず、コースで良いスコアを出そうとすれば

OBや池、バンカーなどが気になります。そんな状況の中で、すべてのショットを完璧なオンプレーンで振り、完全なストレートボールを打とうと、上級者はそんな夢のようなことは考えていないのです。

確かに完璧なプレーンに沿ってヘッドを動かし、フェースがスクェアな状態でインパクトすれば、サイドスピンもかからず理想通りのストレートなボールが出るでしょう。でもそれは机上の空論です。自動ティアップの練習場で何球か連続で打っていると、偶然、真っすぐなショットが出ることがあるかもしれません。しかし、1回のプレーのチャンスに1球しか打てない実際のホールでは、なかなか真っすぐなショットは打てないのです。真っすぐなショットのように見えても、左右どちらかに少なからず曲がってしまいます。

私が言いたいのは、練習を繰り返せばいつかは真っすぐなボールが出ると信じて、それが出ないとがっかりし、練習場で真っすぐなボールが出たら「やった！　やっと練習の成果が出た」と喜ぶことの愚かさです。反復練習を同じ練習場で、月に何度もやっていれば、真っすぐなショットが、たまには出ることがあるでしょう。しかしたまに真っすぐに近いショットが打てる技術がコースで何の役に立つのでしょうか？　役に立つどころかその練習場の奇跡的な1球のせいで、あなたはコースで自信を失い、肩を落として歩くことになります。

「練習場ではよかったのになあ」とか「コースに来ると練習場で出たボールが出ないから上手くいかない。練習が足りないせいか、なかなかスコアに結びつかないんだ」と悩みます。こんな悩みはナンセンスです。不可能なストレートボールを追い求めるから、結果がダメで、ムダに悩んでしまうのです。

オンプレーンに振ることを目的にしなければ、結果の悪さに悩まなくてすみます。

ここで断言します。パープレーでラウンドするのに真っすぐなボールは必要ありません。重要なのはボールの曲がりを少なくして真っすぐに近づけようとすることよりも、スライスならスライス、フックならフックと意図した球筋を確実に何発でも打てる「再現性」です。確実な「再現性」があれば曲がることはむしろ武器になります。

もちろん意図と反対の方向に曲げてしまえばミスショットになりますが、大きくスライスしても狙った目標に、意図して運べれば、それはまぎれもなくナイスショットです。

いくら手応えが良くて真っすぐに飛んでも、狙ったところに行かなければミスショットです。ゴルフは弾道の美しさやインパクトのフィーリングを競うゲームではないのですから。

スコアカードには芸術点をつける欄はありません。どんなにきれいな球筋のボールを打っても、目標に運べなければ、いいスコアにはならないのがゴルフです。従って、芸術点を出そうとして、真っすぐなボールを打つことやきれいな球筋にこだわることは、何のメリットもありません。

フォームもそうです。フォームにも芸術点はありません。だから美しいフォームよりも「再現性」の高いスウィングをマスターしたほうがずっと役に立ちます。「再現性」の高いスウィングとは、チェックポイントの少ない、できるだけ自然なスウィングのことです。

「右手の引き」でトップまで完成

それではいよいよ「合理的なスウィング」を習得する方法に入りましょう。多くのアマチュアゴルファーが一度は悩むのが「始動」の部分でしょう。悩む原因のほとんどが正しい形、軌道でテークバックしようと考えてしまうところにありそうです。

全身を使ってとても大きくみえるゴルフのスウィングですが、実はとても小さな動きでトップオブスウィングまで作ることができます。短時間にわずかな力で可能です。「合理的なスウィング」が完成したときには無意識で行うことですが、無意識にできるようになるまでは次の事を意識してテークバックします。

スウィングの始動は右手を引く動作を使います。従って、始動で意識するのは右手だけです。3章でやった右腕を肩の高さで伸ばした右ひじを引くという動作を思い出してみましょう（61頁参照）。右小指を中心にして自然に右手のひらを回転させた、あの動きです。

右手だけを上手く引くことができたら、今度は左手と一緒にグリップの形を作って引いてみてください。右小指と左人さし指を絡めて、右手だけをゆっくり引きます。最後にクラブを握って、アドレスしたら、右手をゆっくり引く。そうこれがスウィングの始動とテークバックです。スムースに引けたでしょうか。

ここまでやってみてうまく行かない場合には、左サイドの筋肉に無意識に力が入っている可能性があります。左の背中、腰、股関節回りの筋肉をゆるめておくと、腕とクラブの慣性力によってクラブヘッドは自然に正しい軌道を進み、合理的なトップオブスウィングができあがります。実際、右ひじを動かす量はごくわずかで、力もほとんど必要ないといっていいでしょう。

この動きを初めて体験すると、テークバックでフェースが開いていると感じたり、クラブヘッドを極端にインサイドに引くような違和感を覚えるかもしれません。しかしビデオに撮ってみるとわかりますが、おかしなことは何ひとつなくごく自然な動きです。

また、体を動かしている気がしない、と不安を感じるかもしれません。でも、テークバックで肩を十分に回そうとか、フットワークを使うといったことは、まったく不要で

腰の高さでヘッドを止めようとしても……

目を閉じてヘッドが腰の場所で止まるようにテークバックしてみましょう。実際は思った以上にヘッドは上までいってしまいます。クラブヘッドは慣性の力で自然に動くので、トップを作る意識をする必要はありません。右手を引いて始動するだけでいいのです。

す。アドレスからの始動の際、右手を引き寄せるだけで十分。体を動かしている気がしないとすればそれは、「当たり前の動き」をしているからに他ならないのです。

当たり前の動きということは合理的であるということです。そして、意識しなければ潜在能力がさらに引き出されて、我々は必ず正しい動きをします。そういう優れた能力を私たちは持っているのです。自然に右腕を「サッ」と引いて始動すればそれだけでいいのです。右手を「綱引き」の要領で右腰に引き寄せるテークバックをしたら、次はどうするか。実はこれでテークバックについては終わりです。「右手の引き」だけでトップオブスウィングまでができてしまうのです。自分でするのはほんの少し。だから「再現性」のあるトップになるのです。このあとは両腕とクラブの慣性力によって自然に「合理的なスウィング」が進行していきます。

右手を引くことで、両腕とクラブヘッドには勢いがつきます。その腕とクラブヘッドの慣性力によってオートマティックにトップの位置までヘッドは持ち上がります（79頁イラスト参照）。そして上がったヘッドは、両腕とクラブヘッドの重さによって自然にダウンスウィングの体勢に入っているのです。

ダウンスウィングは「左手」の意識

次に説明するのはトップからインパクトの瞬間までです。

ダウンスウィングの始動は引力を使います。ダウンスウィングの初期には決して自分で何かをしてはいけません。自然にまかせると両腕とクラブの重さでダウンスウィングが始まります。引力によって徐々にグリップエンドのスピードがあがります。ここで左手の動きを使います。左手の小指と薬指を素早くギュッと握る動作です（59頁参照）。

この動きはクラブヘッドを簡単に加速させることができるメカニズムで、安定した軌道とさらにフェースの向きをインパクトでスクェアにする効果があります。まさに一石三鳥といえる画期的な方法です。

みなさんにも経験があると思いますが、飛ばすために手（グリップエンド）を速く振ろうとするとクラブヘッドがスムーズに動きません。その結果、ヘッドが遅れ、フェースが開き、距離が出ない上に大きくスライスしてしまうことがあります。インパクトでグリップエンドが目標方向に流れてしまうからです。「左手ギュッ」はこの振り遅れを防ぐ効果もあります。

始動で右手を引いたら、左小指と薬指をギュッと握るように切り返す。わずかこれだけです。もちろん、肩も腰も足も動かす意識はありません。

「簡単すぎる」と思われるかもしれません。その気持ちもわかります。なぜなら今までポイントが10も20もあったとしたら、この方法には右手と左手の2つのことしかしないからです。簡単に覚えられて、すぐゴルフ仲間にも教えることができます。

簡単なので「再現性」も高くなります。

「右手で綱引きして、左手でピストル」です。

「合理的なスウィング」を作る方法はこれだけです。

インパクトからフィニッシュについても触れておきましょう。インパクトの前に「左手のギュッ」という動きを行ったらあとは何もしてはいけません。体全体は自然に動かされるままにしておきましょう。ここで何かをしてしまうと、せっかくスピードがあがったクラブヘッドにエンジンブレーキをかけるようなことになってしまいます。

3つの要素でショットは決まる

皆さんはスウィングとは体の動きのことと思っているのではないのでしょうか。

多くの本やビデオで行われているスウィングの解説は確かにそうでしょう。しかし私は「スウィングの本質は体の動きにあるのではなく、クラブの動きにあるのだ」と考えました。

ゴルフのボールは、クラブヘッドで打たれてはじめて動き出します。つまりショットはクラブヘッドにボールが衝突するというとても簡単な物理現象です。プレーヤーがどう腰や右ひざの動きを意識して打ったのか。ヘッドアップに注意してクラブを振ったのか。どんな体重移動のイメージをもっていたのか。

それらのことは一切、ショットの結果とは無関係なのです。多くのゴルファーはそれを関連づけてストーリー化しがちです。

まず次の3点のことを理解しましょう

①クラブヘッドの描く軌道
②インパクト時のフェースの向き
③リリースのタイミング（ダウンスウィングで右ひじが伸びるタイミング）
「軌道」、「フェースの向き」、「リリース」の3点で、ボールがどの方向に飛び出し、どんな球筋を描いて、どんな弾道でどのくらい飛んでいくかが決まります。従って、たった3点のヘッドの動きを調節する方法さえ知れば、あらゆるボールを自在に打ち分け、飛距離も出すことができるのです。

私が練習もせず、プラスハンディを維持できるのは、この3つのことを確実に調整できるから基本となる合理的なスウィングがいつも安定させられるのです。是非、みなさんも試してみてください。

では「クラブヘッドの軌道」について説明していきましょう。

まずクラブヘッドを動かす軌道ですが、軌道というのは言うまでもなくボールを打ち出す方向を決めるためにあります。右か左か、真っすぐか、です。

最初にみなさんのスウィングプレーンを作りましょう。プレーンを作るのは真っすぐなボールを打つためではありません。ボールの打ち出し方向を決めるためにプレーンを作ります。

では、まずドライバーを握り、ボールに対してアドレスしてください。ボールの位置はどこでも結構です。みなさんが自然だと思える場所に置いてください。

「ボールの位置がどこでもいいって本当？」と思われるでしょうが、正直、どこでもいいのです。ゴルフは自然の中で行います。地面がいつも平らとは限りません。その場その場で対応していかなくてはならない状況の中、ボールの位置を一定に決めること自体、ナンセンスでしょう。構えやすい、打ちやすい位置にセットしましょう。

次にボールと目標を線で結んだターゲットラインを描きます。後ろ（飛球線後方）から見て、ターゲットラインと自分の右肩を直線で結びます（右打ちの場合）。その2本の線を含む、1枚の板があなたのスウィングプレーンです。

オンプレーンとはこの平面に沿ってダウン、インパクト、フォロースルーとクラブヘッドが動くこと。そして、この平面よりも外側（後方から見て右側）がアウトサイド、内側（後方から見て左側）がインサイドです。

つまり外側（アウトサイド）、あるいは内側（インサイド）というのは何を基準にしているのかといえば、自分のスウィングプレーンを基準にしているのです。

アウトサイドからクラブヘッドが下りてきてインサイドに抜ければ、ボールは左に飛び出します。自分を中心に考えると、右上から左下にヘッドが下りてくるような感じがするかもしれません。

逆にプレーンのインサイドから下りてアウトサイドにヘッドが動けばボールは右方向に打ち出されます。自分を中心に考えると、右下から左上にヘッドが動く感じです。

もちろんオンプレーンにヘッドが動けば、ボールは真っすぐ打ち出されます。

ボールの打ち出す方向はこのように、スウィングプレーンを基準にしたヘッド軌道で右か左かが決まります。決して、スタンスの向きやボール位置で決まるものではないのです。

ヘッドの軌道だけを決めれば、右か左か真ん中に飛び出します。体の動きはすべて忘れてしまって大丈夫です。

曲がりをコントロールするグリップ

スライスとフックは、インパクト時のクラブヘッドの軌道に対してフェースが左を向いているか、右を向いているかによって決まります。スウィングの途中やトップでの向きはスライスとフックに直接関係はありません。まして下半身の動きが止まるとフックするとか、腰の開きが早いとスライスするというようなことはありません。

ボールに当たる瞬間のフェース向きを想像してみてください。

インパクト時のフェースの向きは、その向き加減によって、ボールに左回転や右回転のサイドスピンがかかり、その結果フック、スライスなどのボールが出ます。フェースが何ミリか左右に向いただけで、曲がる方向や曲がり幅は変わります。つまりインパクトの瞬間のフェースの向きで、フック、スライスなどの「球筋」が決まるのです。

フェースが右を向いて（開いて）インパクトすれば、ボールはスライスします。反対に左を向いて（閉じて）インパクトすれば、フックボールが出ます。

こう書くと、なんだかとても難しいことをやらなければいけないように感じるかもしれません。「インパクトの一瞬のフェースの向きをコントロールするなんて、できっこない」と思うゴルファーも少なくないでしょう。確かにスウィング中のフェースの向きをどうにかすると思ったら容易ではありません。では、どうするか。

答えは簡単です。あらかじめ、打ちたい球筋に合わせてグリップを変えておくだけで良いのです。

○アドレスでフェースを右に向けて（開いて）グリップし、そのままの向きでインパクトすればボールは右に曲がります。

○フェースを左に向けて（閉じて）グリップし、そのままの向きでインパクトすればボールは左に曲がります。

もしフックを打とうとしてもスライスしてしまったり、曲がったり、曲がらなかったりしたのならば、それはフェースの向け方が少なすぎます。もっと思い切って変えてみてください。必ず曲げられます。

もちろん、フェースをどれだけ開けば、どれだけスライスするか。どれだけ閉じておけば、どのくらいの幅でフックするか。これは感覚の問題ですから、経験を積んで覚えていくしかありません。ただし、練習はやめましょう。何度も同じことをやっては無意味ですから、練習場では「実験」をしましょう。1発ごとにすぐにフェースの向きをいろいろ変えて「実験」すると「球筋」の作り方がわかってきます。

10年間、来る日も来る日も練習したのに、スライスが直らないというようなゴルファーは、アドレスでフェースを左に向けて構え、そのままフェースが左を向くようにインパクトしてみてはいかがでしょう。それでも左に曲がりませんか。フックボールになりませんか。実際にやってもらえばわかると思いますが、スライスを直すこと、スライサーがフックを打つことは（またはその逆にフッカーがスライスを打つことは）は実にたやすいことです。「スライス撃退！」と意気込まなくても、この方法ならすぐに直せてしまいます。曲がり幅さえ気にしなければ、フック、スライスの打ち分けはすぐにできるのです。

10年も20年も頑固なスライスに悩んだゴルファーは、ずいぶんと遠回りしてしまったものです。

意図したとおりならナイスショット

なぜ、私たちはスライス、フックと「球筋」を打ち分ける必要があるのでしょうか。これは次の章で述べる、ホール攻略のためです。今、説明しているボールの打ち方、スウィングは「戦術」。

コースで必要なのは「戦術」を組み合わせた「戦略」です。きっちりと「戦略」を立ててホールを攻略するのがゴルフゲームの面白さです。その結果、スコアアップして、パープレーで回れるのです。

つまりスコアの目標を達成するためには守ったり、攻めたりいろいろなショットが要求されます。そこでボールを左右に曲げたり、高低を打ち分ける必要性が出てくるわけです。

コースに出てみると状況次第で狙ったところにティショットを運ばないと、パーオンできないホールがあります。練習場と違って上手く打ったからといっても、それだけでは何の意味もないのです。

ティショットでスライスが出てしまうとOBになってパーで上がれないホール。樹木などの障害物が途中にあって、セカンドショットでボールを曲げないとパーオンできない状況も多々あります。

ボールを思い通りに打って、曲げて攻めていかないと、ボギー以上を叩く確率は高くなります。

こうしたホールでは、意図的にボールを曲げて攻略するのです。ですから、「スライスはイヤ」だとか「チーピンはかっこう悪い」といったような考えは一切捨てましょう。あなたがどこにボールを落とすか「決断」して狙いどおりの場所に運べたショットは、たとえその球筋がトップ気味の大スライスであっても、グッドショットと呼べるのです。

何度も言うように、スコアカードに球筋の芸術点を記入する欄はどこにもないのですから。ゴルファーの多くに見られるスタイルのようですが、かっこばかりを気にしているとパープレーは現実のものにはなりません。本質を見ることがなによりも大切なのです。

弾道を変える右ひじのリリース

ボールの高さを変えるのはリリースでのタイミングです。トップで曲げられた右ひじがダウンスウィングで伸ばされることをリリースといいます。ショットの高さをコントロールするには、そのリリースがダウンスウィングのどの段階で起きるのかを変えれば良いのです。

リリースが早い段階で起こるようにすると高い球が打てます。遅らせると低い球になります。

多くのゴルファーはティアップの高さやアドレスの目線、ボール位置で弾道の高低を打ち分ける、と思っているようですが、それはまったく関係ありません。また、ドライバーではクラブのロフトを気にする人がいますが、これも関係ありません。

ロフト8度であっても高い球が打てます。ロフト13度でも低い球が打てます。

「なんだか信じられないな」と思われるでしょう。シャフトの長さや硬さも関係ありません。

もっと言えば「非力でヘッドスピードがないから高弾道のボールが打てない」と思い込んでいるゴルファーもいるようですが、これも関係ありません。すべてはダウンスウィングのリリースのタイミングだけなのです。

リリースと言うと、なんだかひどく難しく聞こえるので、右ひじをどのタイミングで伸ばすのかといった方がわかりやすいかもしれません。いずれにしてもダウンスウィングの幅は広いですから、その分だけリリースするタイミングがあるという風にやさしく考えましょう。スウィングを難しく、複雑にしてしまうと、「再現性」が低くなって、実際のコースで使える技術になりません。

どの段階でリリースすると、どのくらいの高さのボールになるかは個人差があります。ですから「実験」してつかんで下さい。最初は右腰の高さを基準にして、腰より上と下の2カ所で試してみるとよいでしょう。

グリップが腰より上にある時にリリースすると高い球になります。逆にグリップの位置が腰より低い時点でリリースすれば低い球が出ます。

高い弾道

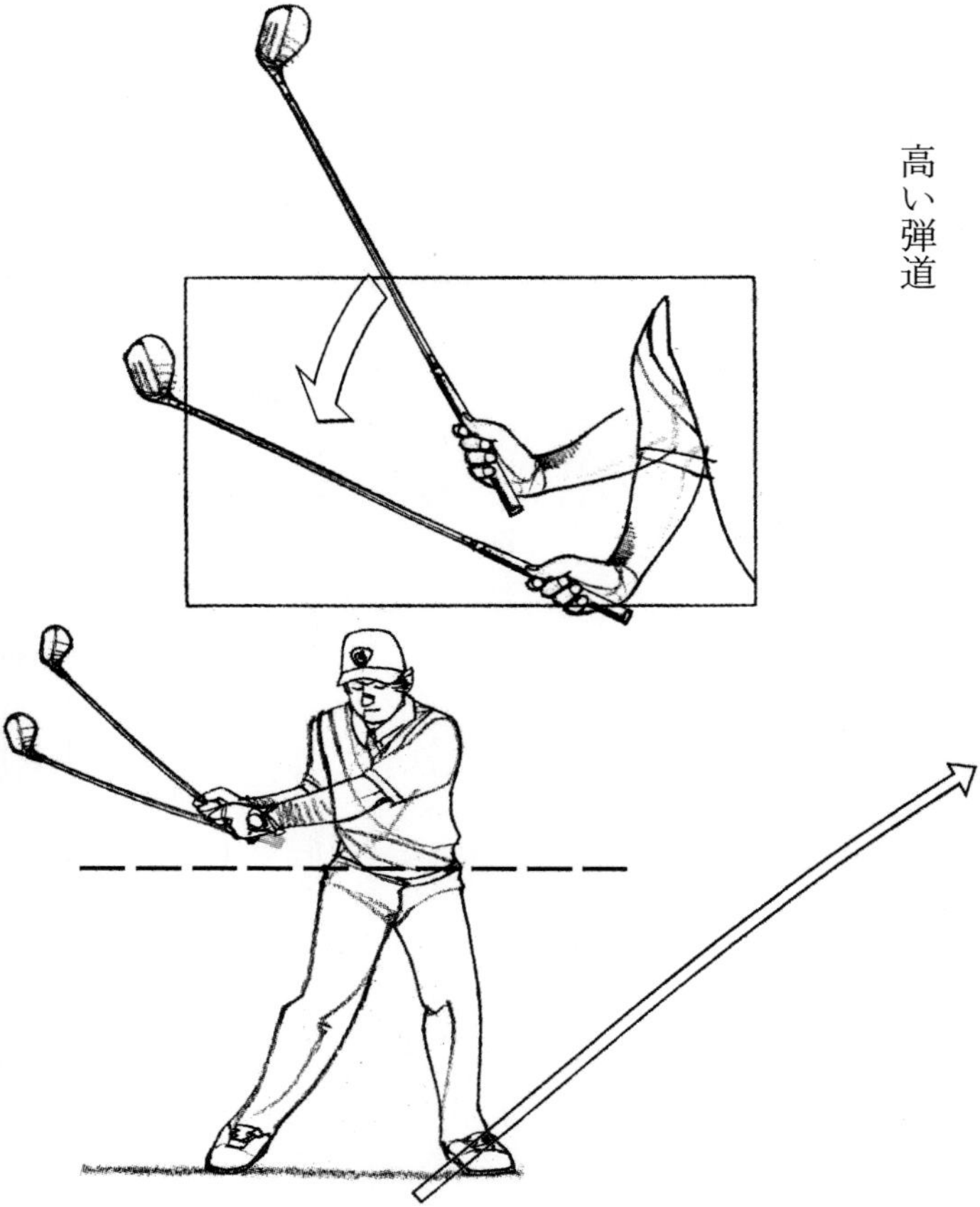

高いボールを打ちたい場合は、右ひじのリリースが腰より高い位置で起きるようにするといいでしょう。

低い弾道

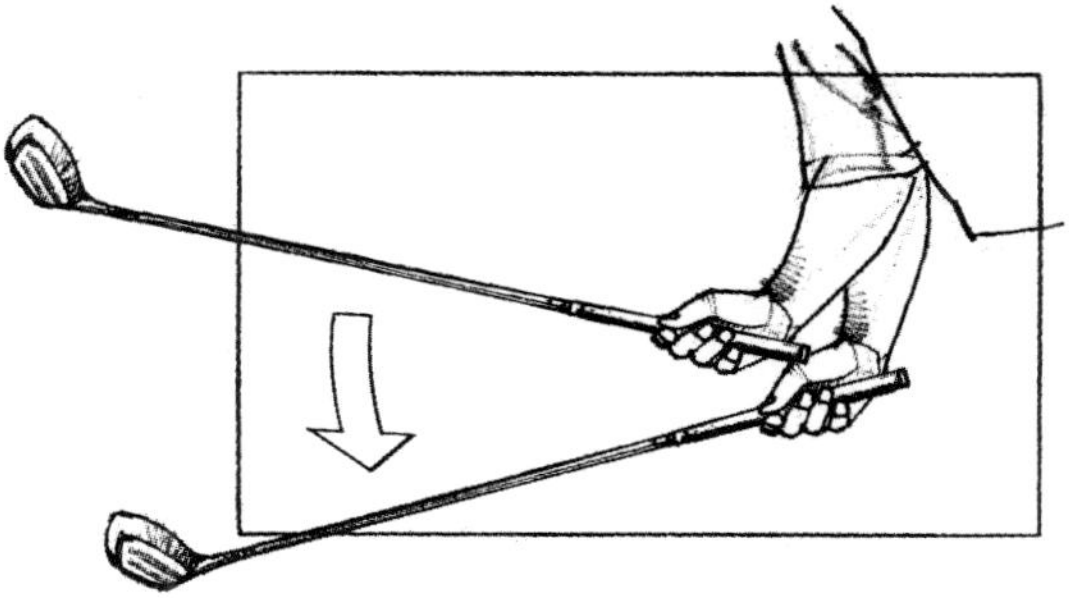

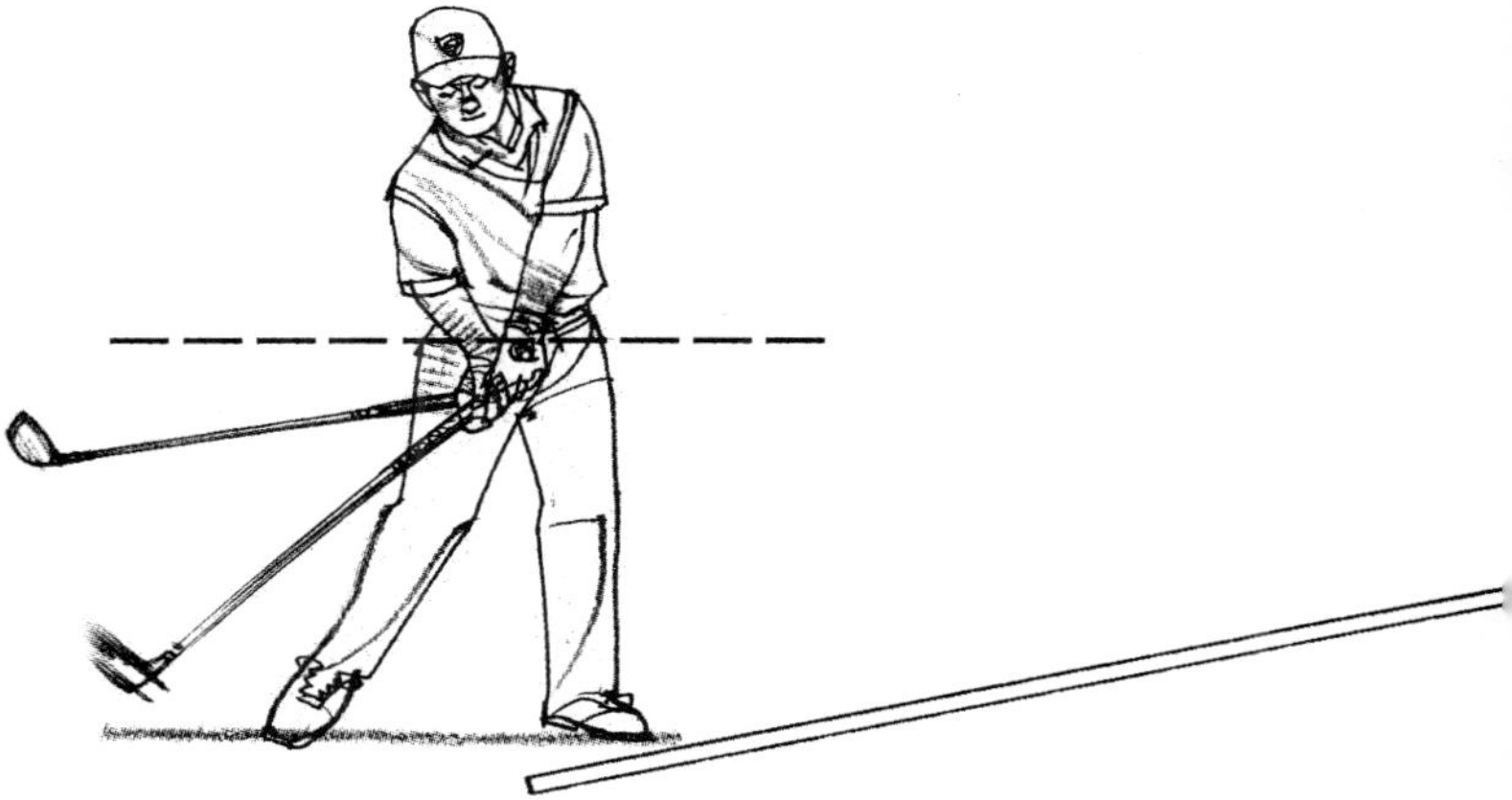

低いボールを打ちたい場合は、右ひじのリリースが腰より低い位置で起きるようにします。

リリースのタイミングが早ければ、フェースが上を向くので高いボール、遅ければフェースが下を向くので低弾道になります（94、95頁イラスト参照）。

どこの位置が正しい、ということはありません。リリースのタイミングをいろいろ変えながら打ってみて、球の高さの違いを実験してください。

何度か書いている言葉なのでここが「合理的なスウィング」をマスターするコツのひとつなんだと気づかれたかもしれませんが、「実験」することは大切です。「練習」と違って「実験」は、わかった段階で終わりにできます。繰り返し、また繰り返し練習する必要はありません。このくらいのタイミングで右ひじが伸びたら、このくらいの打ち出しの高さになるということが理解できれば、それ以上打つ必要はないのです。

ボールの高低を打ち分けることは、特にパーオン率を高めるためには重要になります。風の強弱やバンカー、池などのグリーン周りのハザードの状況によって高い球、低い球と打ち分ける必要があるからです。

方法さえわかれば高さを打ち分けることは、誰にでも簡単にできます。また球がまるで上がらないと嘆いているあなたも、クラブを買い替えたり、練習なんかしなくても、すぐに高い球が打てるようになります。

これはシニア、女性ゴルファーでもそうです。非力であってもリリースのタイミングさえ早くできれば、高弾道ボールがわけもなく打てるのです。

第5章　スコアアップのコース戦略

●スコアメイクの戦略を立てよう
●パープレーを体験できるアイデア「マイパー」
●「マイパー」の作り方は距離次第
●ダブルボギーは罪悪と考えよう
●曲げるショットはフェアウェイの幅を倍に広げる

スコアメイクの戦略を立てよう

第4章までで、パープレーができる「合理的なスウィング」については免許皆伝です。右手の引きと左腕の回転、自然な体の動きを主体とした簡単なスウィングですから、一度わかってしまうと今までやっていたような練習場での反復練習の必要性はありません。これで一生もののシンプルでオーソドックスなスウィングを修得することができました。

このスウィングの特長はいいことづくめです。スランプにならない、パワーが十分に発揮できる、練習不要。コースでは朝イチの1球目からナイスショットが打てる、自分で動かす部分が少なく慣性力と潜在能力を使うので「再現性」がとても高く体を痛めることもありません。むしろ振れば振るほどストレッチされて健康になります。

第5章は「コース戦略」の話をしましょう。

これまで説明したスウィングは「戦術」の部分です。戦うための術を覚えました。これからがゴルフの醍醐味、「戦略」です。

スウィングの性能だけよくても、それを使いこなすアタマ、頭脳がなければゴルフというゲームで満足のいくスコアをマークすることはできません。戦略には「守り」と「攻め」があります。目標のスコアが決まると各ホールですることがはっきりしてきます。ショットごとに戦略が立つのです。

パープレーが当たり前にできるスクラッチプレーヤーでも、全てのホールでバーディーを狙うようなことはしません。ティショットの1打目からボギーで良いと思って打つことはないとしても、ティショットのできによっては2打目からボギーで止める「守り」に回ることもあります。早く「守り」に回れれば大ケガは少なくなります。

ゴルフはバーディよりボギーの方が、イーグルよりもダブルボギーの方が出やすいゲームです。

ストロークプレーでは「守り」を主体にした方がスコアがまとまります。このことを我慢のゴルフというのでしょう。マッチプレーであれば「攻め」が主体となることもあります。バーディでなければパーもトリプルボギーも同じになるときがあるからです。

ただストロークプレーであっても、守ってばかりでは、自己のベストの更新は難しいでしょう。このショットは攻めるのか、守るのか。そこがゴルフの醍醐味です。

パープレーを体験できるアイデア「マイパー」

コースに行った時、誰もがゴルフをきちんと楽しめる「マイパー」について説明しましょう。パープレーを目指しているみなさんのゴルフが辛くならない方法のひとつです。

みなさんがパープレーの「72」を目指す上での基本は何でしたか。

自分が狙った場所に1打目を運び、パーオンさせることでした。それはもちろんそうなのですが、国内だけでも2500を超えるコースの中には、距離的にパーオンが不可能なホールも多く存在するでしょう。もちろん、ティグラウンドを選べればいいのですが、コンペなどではそれができないこともあります。

そこで助け舟が必要です。距離的にパーオンできないホールに「マイパー」、つまり自分だけのパーを設定するのです。

私は辛いことがきらいです。ゴルフはパープレーを目指しつつ、しかも楽しくなくてはいけません。たとえば、私の父は80歳を超えていますが、時々、私と一緒にコースに出ます。スウィングはできても、やはり高齢なので同じペースでは歩けません。そこで私はなるべく父が歩かなくて済むように「ローカルルール」を作りました。

ピンまでの距離が短くならなければ、どの地点からでもボールを打てるようにして、しかもセカンドショットでもサードショットでもティアップして打ってもらいます。ティアップしているからナイスショットしやすく、コースも傷めないラウンド方法です。こうすると高齢者にも本当に喜んでもらえます。

6インチプレースではなく、上に1インチ。父も「このルールのおかげでゴルフが楽しくなった」とうれしそうです。本来ゴルフはこのように、自分たちの責任においていろいろとアレンジし、楽しんでいいものだと思います。

しかしながら多くのアマチュアゴルファーは、このような「ローカルルール」など作らず、まじめにプレーします。そのため、いつもオーバーパーで、1度もパープレーしたことのない人が大半でしょう。

ゴルフを何十年もやったのに、一生涯、パープレーできないのは悲しいと思いませんか。

パープレーすることが、どれだけ緊張することなのか、どれだけ楽しいことなのかを多くのゴルファーにわかってもらいたいと思います。「マイパー」なる「ローカルルール」を今、私の周りで実践してあらゆる人が楽しんでいます。

いろいろな意味で、いいアイデアだと思いますので、試しにやってみてください。

それでは「マイパー」を説明していきましょう。

「マイパー」の作り方は距離次第

それではまず、2005年全米プロゴルフ選手権のコース、バルタスロールGCを例にして「マイパー」の作り方を説明しましょう。

大会時のデータになりますが、このコース、とにかく距離が長いのが特長です。パー5がパー4になったようなホールがあり、ヤーデージの数字を見ただけでも、身震いがしそうな長さです。

もしみなさんが、ここでチャンピオンティからプレーするとしたら、その目標スコアはパープレーのままで大丈夫でしょうか。

全長7392Y、あのタイガー・ウッズでさえパープレー（パー70）できず、初日ノーバーディの75を出してしまったコースです（4番、14番、18番でボギー。7番のパー4・505Yではダブルボギー）。

最終日の他の選手のデータを見ても、パー以下でラウンドできているのは出場選手79人中16人で、約20パーセントしかいませんし、優勝したフィル・ミケルソンも3日目、4日目はそれぞれ2オーバーしています。

そんなところにみなさんが行って「今日はパープレー目指すぞ！」と言ったとしても、それはただの冗談にしか聞こえないでしょう。

ゴルフが苦しいだけのゲームになってはいけません。どんなコースでも楽しめるものなのですから、コースに合わせてプレーヤーが工夫すればいいのです。コースのヤーデージを見てみましょう。

バルタスロールゴルフクラブ

No.	PAR	YARD
1	4	478
2	4	379
3	4	503
4	3	194
5	4	423
6	4	482
7	4	505
8	4	380
9	3	212
OUT	34	3,556
10	4	460
11	4	440
12	3	218
13	4	424
14	4	430
15	4	430
16	3	230
17	5	650
18	5	554
IN	36	3,836
TOTAL	70	7,392

17番のパー5、650Yはメジャー史上最長のホールで、ジョン・デーリーが2オンしたのが初めてと言う、数字を見ただけで逃げ出したくなる距離です。

こんなコースに行った時はどうしたらいいのでしょうか。

私はこの本でひたすら「パープレーを目標にしましょう、その第1歩は〝パーオン〟です」と言ってきましたが、この1番、478Y・パー4を「ドライバーの平均飛距離が200Yです」というゴルファーに「それでもパーオンを目指せ」とは言えません。478Yはと言えば、普通であればパー5の距離なのですから。

こんな場合は自分で「マイパー」を作り、そのパーを目指す「戦略」をしっかりと立てればいいのです。

たとえばバルタスロール1番の「マイパー」が「5」なら確実に「3オン」を狙うということです。そしてそのためにマイパー用のスコアカードを事前に作ってみるのもいいでしょう。

実際のヤーデージを見ると400Y以下のパー4が2つしかありません。それならば他のパー4はすべてパー5にしてもいいですし、430Yまではパー4で頑張ってみようなど自分でアレンジしてみましょう。ひとつ大切なのは、決して自分の飛距離に見栄をはらないことです。今の自分の飛距離、技量を素直に考えて「マイパー」を作ることがゲームを楽しくさせます。

それでは「マイパー」を作ってみます。

パー3をパー4に。パー4をパー5、パー5をパー6にします。これは距離を目安にしたひとつの目安です。人によって飛距離も異なり、またホールの難易度は距離だけではかれませんから、これを参考にして自分でルールを決めればといいと思います。

○パー3をパー4にする目安
自分のクリークの飛距離以上
○パー4をパー5にする目安
ドライバーの飛距離＋クリークの飛距離以上
○パー5をパー6にする目安
ドライバーの飛距離＋スプーンの飛距離＋クリークの飛距離以上

飛距離はすべてキャリーで考えます。

実際の例として、私のホームコース、東名ＣＣ愛鷹コースで考えてみます。モデルとして54歳のアベレージゴルファー、ゴルフ歴22年、ＨＣ16、パープレーを目指しているＡ氏の飛距離を使います（ドライバー飛距離２１０Ｙ、スプーン飛距離２００Ｙ、クリーク飛距離１９０Ｙ）。

東名CC愛鷹コース

No.	PAR	REGUL TEE	BACK TEE
1	4	335	360
2	4	377	392
3	5	547	566
4	3	179	195
5	4	326	345
6	4	411	437
7	3	146	174
8	5	513	570
9	4	405	433
TOTAL	36	3,239	3,472

まずパー３から考えてみましょう。

Ａ氏のクリークの飛距離は１９０Ｙですからそれ以上長いホールをパー４にすることができます。この場合、４番ホールのバックティが１９５Ｙなのでここはマイパー４にしておきましょう。

次にパー４は、ドライバーとクリークの距離の合計を考えますから、Ａ氏の場合は２１０Ｙ＋１９０＝４００Ｙです。

400Y以上のパー4をパー5にすることができるので、バックティでもレギュラーティでも6番と9番をマイパー5にすることができます。

そしてパー5はドライバー、スプーン、クリークの合計で考えます。A氏の合計は600Yになります。

600Yは……、と見てみるとバックティもレギュラーティもそれを上回る数字はありません。よってパー5に「マイパー」は必要ないということになります。

こうやって見てみると、パープレーを目標にするという点においても、最初の段階が見えてきます。

ここではハーフだけを例に取りましたが、レギュラーティでは「マイパー」は2つということで目標を「38」に設定できるでしょう。バックティでは「マイパー」は3つなので、「39」を目標にできます。

みなさんもぜひ自分の「マイパー」を設定して、スコアカードを書き換えてみてください。ゴルフがより緊張感のあるものになるはずです。そしてパープレーで回ることの楽しさ、喜びを体験してみてください。

ダブルボギーは罪悪と考えよう

「ボギーまでは許す。その代わりボギーで絶対に止める」

これが守りの基本です。勝負事の鉄則に「押さば押せ、引かば引け」というのがあります。つまり不調になったら徹底的に守る。攻めに転じて好調ならば危険覚悟で徹底的に攻めるという教えですが、ゴルフにはピッタリだと思います。

それではどんなことをしたらパー4でダブルボギーになるか考えてみましょう。

OB、ロストボール、4パット、2打目のウォーターハザード（1打目はボギーで止められる）、ガードバンカーから1回でグリーンに乗らない、パーオンを逃がしたときの3パット、1打目を林や崖の下に打った時にそこから1打でフェアウェイに戻せない、アプローチをダフってガードバンカー、アプローチをトップしてオーバー……などまだまだありますが、だいたいこんな感じでしょう。

それではどうすれば防げますか。

危険なところは徹底的に逃げてください。そのための方法はゴロでも、大スライスでも何でもOK。かっこ悪いなんてことはありません。

たとえばゴロなら立っていられないくらいの強風の時に使えます。

何度も言いますが、いくらきれいなショットを打ってもコースの外まで飛んでしまえばOBです。ゴルフに芸術点はないんでした。

全英オープンの予選を観るとリンクス育ちのゴルファーがゴロのような低いショットで転がし続けて予選を突破します。ゴルフというゲームはいかにディフェンスをしっかりしながら少ない打数で穴に入れるかというゲームです。

言葉にすればそのとおりとわかっていただけると思いますが、スコアがまとまらない多くのアマチュアにはディフェンスがありません。まるでキーパーのいないサッカーかノーガードのボクシングのようです。

ホールの形状、難易度、相性などによって「絶対にボギーで止める、守るホール」と「攻めるホール」を設定しましょう。

もちろんゴルフはゲームですから、攻め時、守り時を考えると面白さも数段違ってきます。ただダラダラと1日コースにいては学ぶことも少ないうえに、何より面白くありません。

さて、バンカー、池、OBなどの危険を察知し、徹底的に避けるには、当然、それらを避けるための球筋や弾道が必要になります。スウィングによって左右に打ち出したり、曲げたり、高低の弾道を打ち分けたりすることが、ここでようやく役に立つのです。

今までに覚えたヘッドの動き、「軌道」「フェースの向き」「リリースのタイミング」の3つを組み合わせて、さっそく危険を避けてみましょう。

例えば右にOBがある打ち下ろしのホール。強い向かい風が吹いています。そんな状況ではOBラインギリギリにスタンスを取り、フェースを左に向けてクラブを握りましょう。リリースのタイミングを遅らせながら、あとは何も考えることなく「合理的なスウィング」で打ちましょう。やや右に低く飛び出したボールは、フェアウェイの方に戻ってきます。曲がり過ぎて左のラフでもOKです。高く吹き上がらず、スライスさえしなければ100点満点です。

また、パーオンを狙うショットで、左サイドにバンカーがあれば、グリーンの左サイドを狙ってフェードボールを打ちます。グリーン手前にもバンカーがあれば、高いキャリーボールを打ちたいのでリリースを早くします。つまりフェースを少し開いて構えたら、リリースを早めにしてアウトサイドからクラブヘッドを下ろす。これで左に打ち出す高いフェードボールが打てます。

スウィング中には何も考えてはいけません。何かを考えたり、意識すると潜在能力が生かせなくなってミスしやすくなります。あくまで、アドレスに入る前の準備段階でどんなボールを打つか考え、確認し、決めたら無心で打ちましょう。

この3つの組み合わせで、すべての危険を避けることができます。

徹底的に防御しボギーで止めましょう。パープレーを実現するためにはダブルボギーは絶対にいけません。イーグルを取るか、バーディを2つ取らなければ、取り返せないのです。3つをうまく組み合わせてフレキシブルな攻め方を発想しましょう。最初はうまくできなくても徐々にいろいろなことが見えてきます。

そのためには、できるだけスウィングはシンプルに考えること。スウィングが簡潔であればそれだけ「再現性」が高くなります。コースで自分が思った球筋と逆のボールが出て危険につかまってしまう確率が低くなります。

ＯＢやハザードが確実に避けられるので、安心して思いきり振れるようになります。

曲げるショットはフェアウェイの幅を倍に広げる

ここまでにさんざん真っすぐなボールを打つなんてムダな努力はやめたほうがいい、と書きましたが、それは難しいことであると同時に、真っすぐ打つことは実際のゲームではあまり意味がないからです。

なぜなら、ゴルフコースというのはわざわざ真っすぐ打つことができなくなるような状況を作り出しているところだからです。バンカーやＯＢを作ったり、フェアウェイに樹木を植えたり、ドッグレッグさせたりしています。練習場のように、線で引いた真っすぐなホールは、まずありません。

真っすぐにボールを打つなんてできないことですし、実際にコースでは真っすぐなボールは必要ないわけですから、そんなことを必死に練習しても意味がないことは明らかなのです。

それなのに多くのゴルファーはどうして真っすぐなボールばかり目指してしまうのでしょうか。それはおそらく、どんなホールでも常にフェアウェイのど真ん中に打とうとしているからでしょう。

多くのアベレージゴルファーはフェアウェイの真ん中狙いがいちばん安全と思っているはずです。

これが、そもそも間違っています。真ん中狙いは安全ではありません。

真っすぐなボールはあなたが届かせたい着地点にひとつの方法でしか行きません。ところがスライス、フックといった曲がるボールを使うと2つの方法が見つかり、フェアウェイの幅も倍に広がります。

たとえば、右がOBで左が崖っぷちのホールを想像してください。バンカーはありません。右のOBも避けたいし、左の崖にも行きたくありません。こんな時、フェアウェイ真ん中を狙って真っすぐなボールだけを打とうとしたらどうでしょうか。真っすぐなボールが出るのは奇跡的なことですし、左右どちらかに曲がる確率が非常に高いのです。

右OBと左崖との幅が50Yあるとしましょう。ここで真ん中に真っすぐのボールを打ちたいと思ったら、ミスしたときの許容範囲は左右それぞれ25Yです。ちょっとスライスやフックがかかってしまっただけでも25Yくらいは簡単に曲がってしまいます。しかし左右どちらかの端から曲げて狙えば50Y全部が許容範囲になります。50Yも曲げていいのですから、気分的にこんな楽なことはありません。曲がるボールを覚えたほうが攻めやすくなる理由がここにあります。

真っすぐなボールは使えない。コースで応用が効くのは曲がるボールです。

上級者ほど、いいスコアを出せる人ほど、このことを熟知しています。

フェアウェイセンターに真っすぐなボールを打とうと思えば、ますます「左右どちらかに曲がったらどうしよう」とプレッシャーがかかります。でも最初からスライスあるいはフックと決めて、それを確実に打てれば、それほどプレッシャーはかかりません。

そうです。とにかく「真っすぐなボールで攻略しよう」と思わないことです。勇気を持って右から、そして左から曲げることを実践してみましょう。

どんなに練習を重ねても真っすぐ打つことは完成しません。ハンディプラス1の私でさえコースに出て「このホールはストレートボールで攻めよう」と思ったことは、一度もありません。ティグラウンドに立ったら、どちらに曲げようか、と考えます。その方がずっと簡単でパーセーブできる確率が高いからです。

曲がるボールはたったのワンポイント。フェースの向きだけです。これに打ち出し、つまりヘッド軌道を加えてもポイントは2つだけです。曲がるボールを覚えることは簡単です。

曲がるボールでコース戦略を立てたほうが、スコアアップできることを理解していただけたでしょうか。みなさんがコースに行く前にコースレイアウトがわかるのであれば、事前に戦略を組み立てておきましょう。

「守り」か「攻め」か。右狙いか左狙いか。スライスかフックか。高い球か低い球か。もちろん、当日の天候、風など不確定な要素はありますが、こうして戦略を練ることは楽しいことですし、なにより作戦が大成功をおさめパープレーで回れたら、こんなに気分のいいことはないのですから。

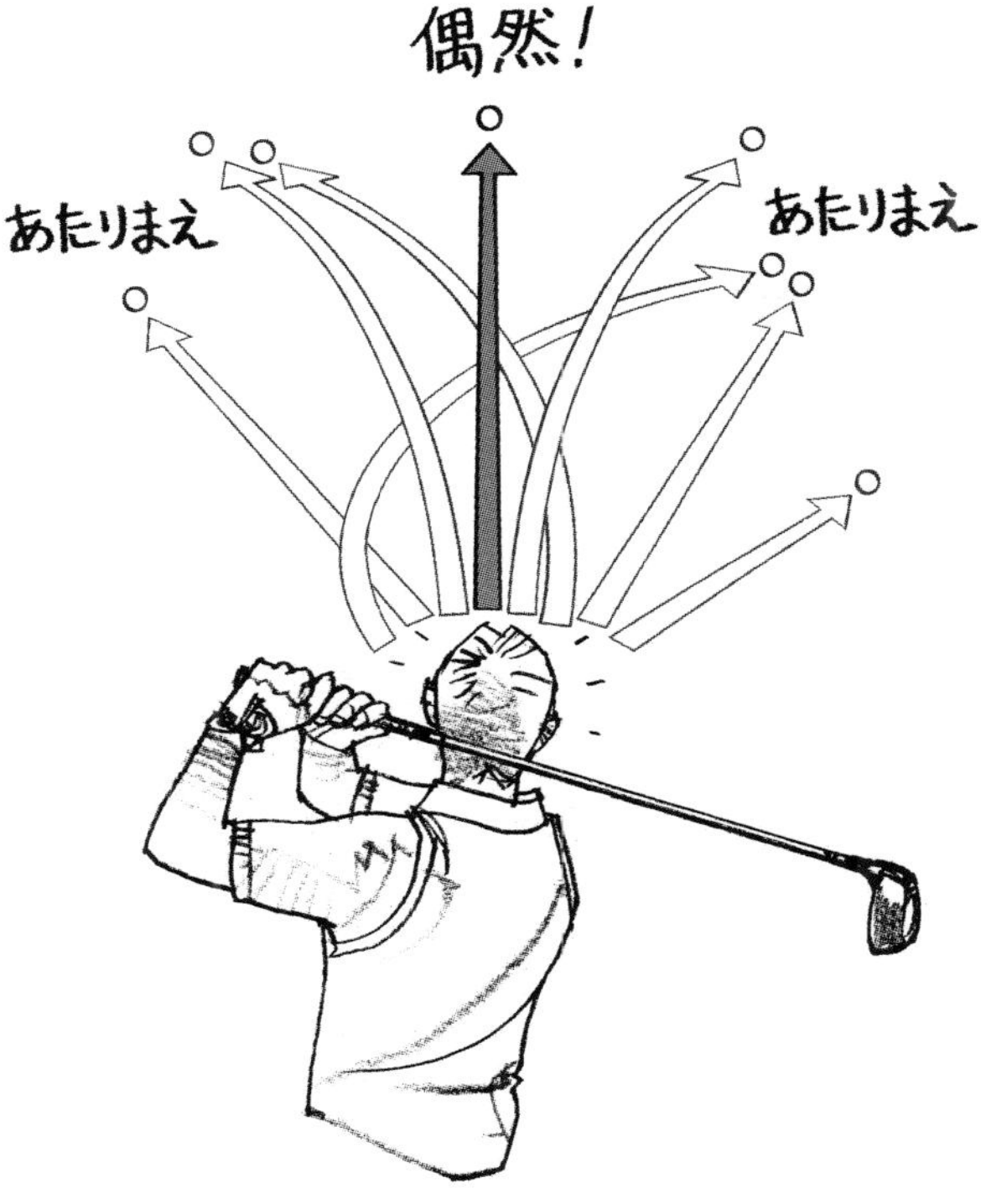

パープレーをするのに真っすぐなボールは不要。意識的に曲げるボールが大正解

パープレーを目指すなら、コースでまっすぐなボールを打とうとすることはナンセンスです。トップアマチュアでも、プロでさえ真っすぐなボールが出るのは偶然です。多くのアマチュアゴルファーの壁になっているのは、「真っすぐなボールが打てるようになったら曲げるショットを覚えよう」とする考え。いつまでもステップアップできなくなります。初めからボールは曲げた方がやさしいということを知りましょう。

第6章　パープレーにさらに近づく5つの知恵

●憧れのドロー、フェードを打ち分ける
●打ち急ぎと間の正体
●「振り遅れ」を防ぐために
●味方にしたい第一印象、直感
●ピンが手前のクラブ選択

憧れのドロー、フェードを打ち分ける

みなさんもそろそろ、真っすぐなボールは打たなくていい、打てないものだということが明確にインプットできたと思います。コースで「ここは右からドローだな」と瞬時に思えるようになったらしめたものです。フェアウェイの幅は倍になり、コースを攻略する楽しさも増え、パープレーに近づくことができます。

「しかし、そうはいってもドローもフェードも難しい」

私がいくら力説しても、アマチュアゴルファーの多くはこう思うでしょう。今までの複雑なスウィング理論が邪魔をするから仕方ありません。

そこで、この項では「笑っちゃうほど簡単」なフェードとドローの打ち分け方を説明しましょう。

「笑っちゃうほど簡単」というのは、別にふざけているわけではありません。私のことを今でも不思議に思っている本書の担当編集者の言葉です。この編集者氏は、実際5分

間でドローとフェードが打ち分けられるようになり「佐久間さん、なんでこんな簡単なんですか？　笑っちゃいます」と驚いたのです。

先にドローボールとフェードボールの定義をはっきりさせておきましょう。

ドローボールは左に曲がっていき、フェードボールは右に曲がっていくショットと思っている人が多いと思います。その解釈もあるでしょうが、私はショットの意図として考えています。

つまり、ドローボールは左に軽く曲げるショットではなく、「絶対にスライスしないショット」だという意味です。逆にフェードボールは「どんなことがあっても左には曲がらないショット」ということになります。ラウンドする上での「保険」のようなものと考えるといいでしょう。

ではこのフェードやドローはなぜ起こるのでしょうか。どうしたら打てるのでしょうか。プロゴルファーやティーチングプロに聞くと、次のような答えが返ってきます。

「ドローボールを打つには、ダウンスウィングで右わきを締めて、インパクトの直前に腰を止めて手を返せばいい。逆にフェードボールを打つには腰を早く開いて……」

プロの感覚から言うと間違いではないでしょう。

でもこんなことは、何千発、何万発を来る日も来る日も打ちつづけてようやく体得した結果言えることで、私たちアマチュアゴルファーにはとても無理ですし、第一そんなに時間も使えません。ダウンスウィングのわずかな時間でこれだけのことをやるのは至難の技だからです。このような複雑な打ち方は「職人技」「人間国宝」だとでも思った方がいいでしょう。

ボールがどんな球筋を描いて飛んでいくのかは、インパクトのときの「フェースの向き」で決まります。フェースがターゲットラインに対して完全に直角に向いていれば当然ストレートボールになります。

何度も述べましたがこんなことはほとんどあり得ず、フェースは微妙に左右のどちらかを向いています。

みなさんが反復練習を重ねて、一生懸命真っすぐにしようとしても、左右のどちらかを向いていることが自然なのです。

そして、このインパクトのフェースの向きとヘッド軌道とが組み合わさった結果、ボールがどんな方向に飛び出し、どんな球筋を描くかが決まります。

たとえば、インパクトでフェースが右を向き、しかもアウトサイドイン軌道になっていれば、ボールには右方向のサイドスピンがかかるため、必ず左に打ち出すスライスになります。これがフェースはそれほど開かず、しかもアウトサイドイン軌道もそれほどでなければやや左に打ち出して曲がり幅も小さいスライスになります。この2つは曲がり幅の大小に関係なく、絶対に左には曲がらないわけですから、どちらもフェードボールです。

ドローはその反対です。

このように考えると少し複雑な気がするかもしれません。そこで、もっと簡単なドローとフェードの打ち分け方を説明しましょう。ポイントはアドレスしたときの首の付け根とボールの位置との関係です。

ドローボールを打ちたい場合はアドレスで首の付け根がボールよりも前（飛球方向）に出るように構えます（126頁イラスト参照）。ボールが首の付け根よりも内側に入るようにセットするのです。

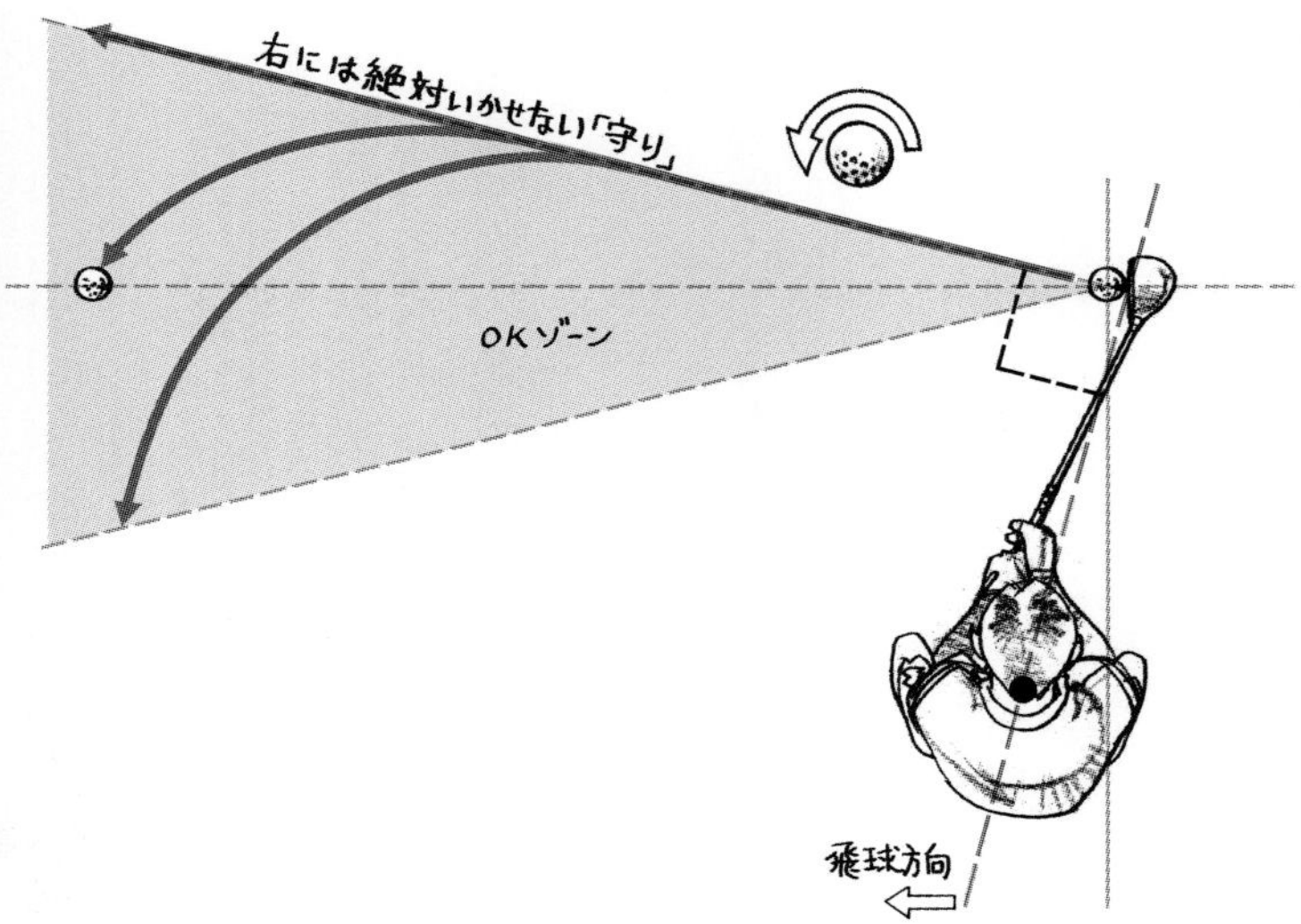

絶対右に行かない
ドローボールのセットアップ

ドローボールを打ちたい時は、首の付け根をボールより前（飛球方向）にして構えてみましょう。ボールは右に飛び出します。ポイントは首の付け根とボールの位置との関係。

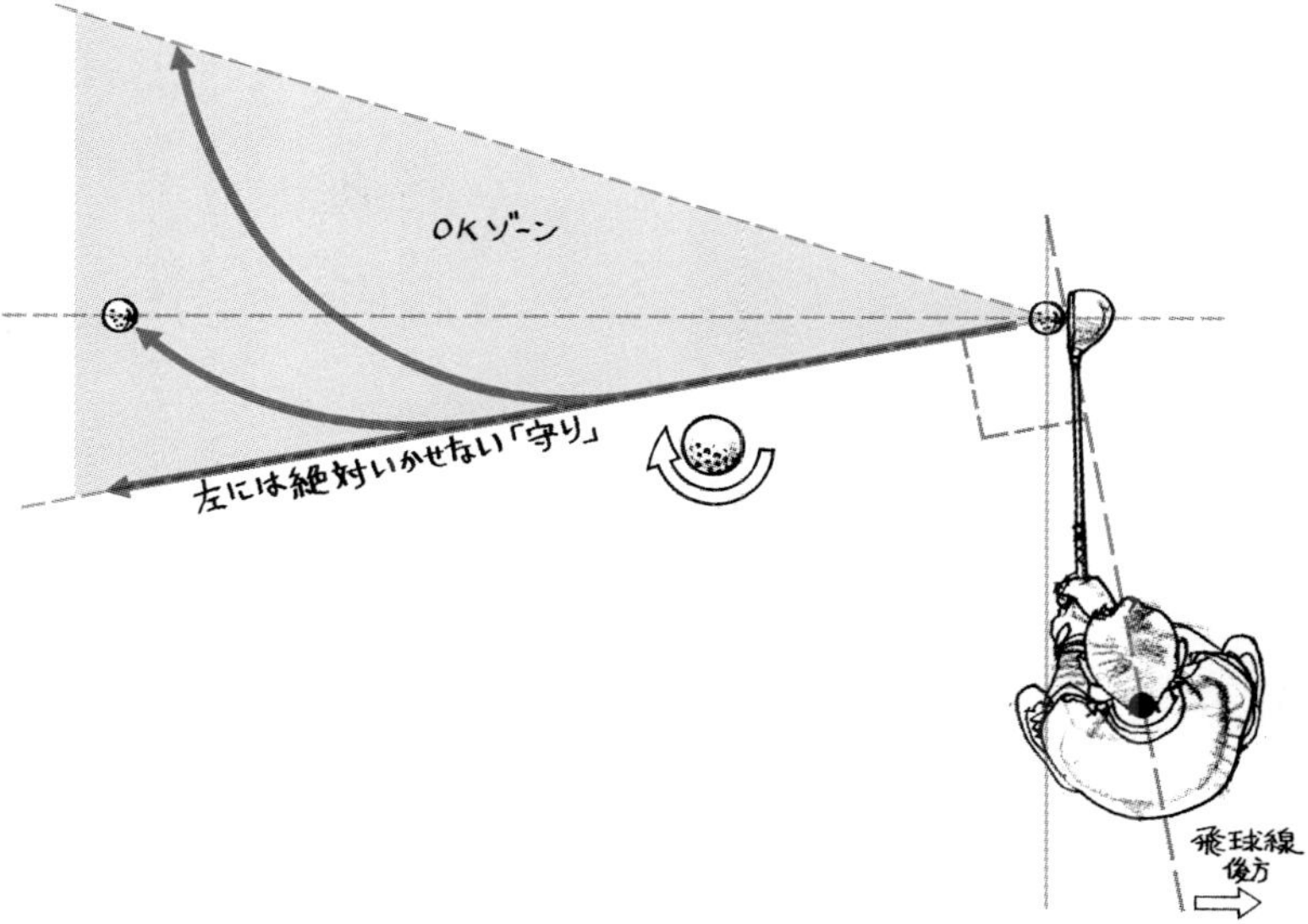

絶対左に行かない
フェードボールのセットアップ

フェードボールを打ちたい時は、首の付け根をボールより後ろ（飛球線後方）にして構えてみましょう。ボールは左に飛び出します。両足の位置はどこでもＯＫ。

フェードボールを打ちたい場合はアドレスで首の付け根がボールよりも飛球線後方に来るように構えます（127頁イラスト参照）。

首の付け根の位置を変えるだけで、面白いように希望通りのボールが打てます。

「ドロー、フェードを打つ際に、オープンスタンス、クローズスタンスはどのように組み合わせているんですか？」とよく聞かれます。これも多くのゴルファーが気にすることですが、体の向きやスタンスはまったく関係ありません。

クラブヘッドの軌道（インサイドアウトかアウトサイドイン）は首の付け根とボールの位置関係によって決まるのです。

首の付け根をボールより飛球方向にセットすると、自分のスウィングプレーンよりも内側からヘッドが下りるので、自然にインサイドアウトの軌道になります。

この状態でフェースを左に向けてグリップすれば、必ず右に打ち出して左に曲がるドローボールになるわけです。

反対に首の付け根をボールよりも後方（飛球線後方）におけば、自然とややアウトサイドインの軌道になります。ここからフェースを開いてグリップすれば、左に打ち出してフェードする球筋になります。絶対に反対に行かないよう「二重の保険」をかけるわけです。

要するに、首の付け根の位置によってボールの位置が変わればそれによって軌道が変わります。フェースの向きはグリップを握り変えることで確実にコントロールできます。よくボール位置は左かかと線上といいますが、このように決めつけてしまうと、打ち出し方向を打ち分けることが難しくなります。ボールの位置を固定することは、真っすぐなボールを常に打とうとするぐらい難しくナンセンスなことなのです。

グリップを変えて、ボールと首の付け根の関係を決めて、あとは無意識に振るだけですから、ドローもフェードもすぐに打てるようになります。

曲がるボールを打ち分ける。この難しいと言われる技術も、実は簡単で、毎日の修行も一切、必要ないのです。

もちろん、1度、ボールと首の感覚をつかんでしまえば反復練習の必要がないことは言うまでもありません。

首とボールはここ、と決まっていません。人によって首のつけ根とボールとの位置関係は微妙に違います。試行錯誤して、「実験」してみてください。

上手くできなければ自分に才能がないのではなく、そのやり方自体が間違っているのです。そんな時は、できるまで繰り返し練習しようとしてはいけません。フェースの開き具合、首の位置などやり方をどんどん変え、自分で「実験」していくと方法が見つかります。

成功するまでちがうことをやり続けるのです。

打ち急ぎと間の正体

人は緊張すると交感神経が優位になり筋肉が固くなります。

スウィングの章で、テークバックの時は腰の位置までクラブをあげたら、あとの動きは「クラブの慣性の力」にまかせておけばいいと説明しました。腰より上はなにも意識しなくても自然にクラブがあがってくれるという話です。

しかし実際、緊張時にはスムーズにトップの位置に収まらなくなります。みなさんも経験があるでしょう。リラックスしている練習場ではうまくいくのに、コースにいくと思い通りにいかないというあれです。

緊張するとダウンスウィングのタイミングが合わなくなり、切り返しの間がなくなってしまうのです。

トップからの切り返しに、存在する一瞬の「間」は、腕とクラブの運動の方向が180度変わる時、速度がゼロになる瞬間のことです（133頁イラスト参照）。

本来「合理的なスウィング」では、その「間」は自然に生まれるもので、意識して「間」を作ったりするようなものではありません。テークバックで発生した慣性力はトップに上がっていくに従って減少します。

そしてクラブヘッドが静止する、コンマ何秒か前に両腕が重力による自然落下によりダウンスウィング方向に加速しはじめるときに、コッキングが発生します。

この瞬間こそが「間」の正体です。

人間の動作にも「間」があります。

日常生活の中で物を押したり引いたり、体を左右に捻ったりしたとき、次の動作にいくまでに「間」が生まれるのです。それは逆方向に動き始め時に発生する自然な動きです。

クラブヘッドがトップまで来て、インパクトに戻る動きは遊園地の『バイキング』と呼ばれる乗り物の動きに似ています。あの巨大な船が左右にブラーンブラーンと揺れる乗り物です。

『バイキング』の左右どちらかの一番端の席に乗ってみると、上に持ちあげられたとき

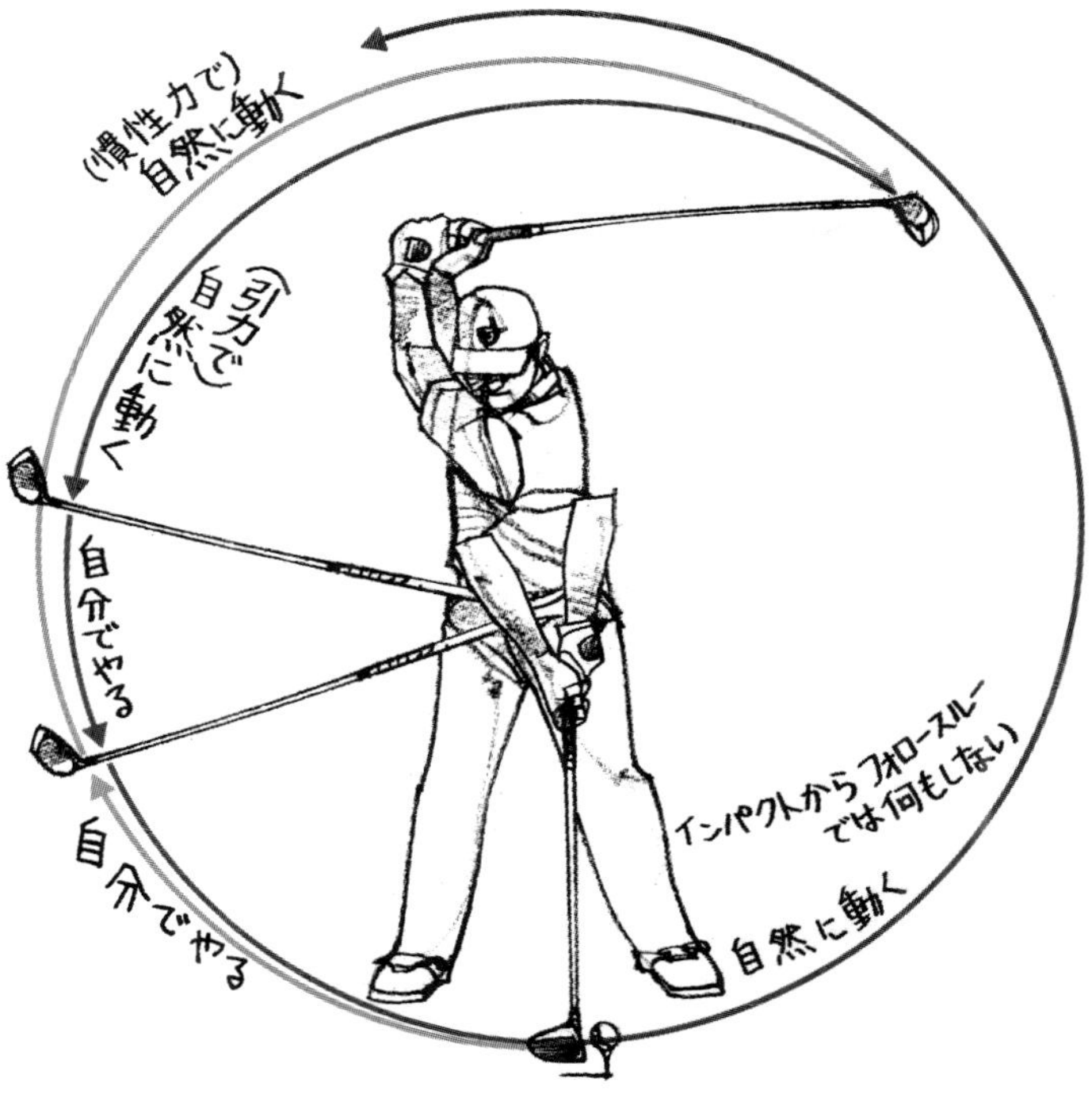

スウィングで意識するところは2カ所だけ。
あとは無意識に振ればいい！

「合理的なスウィング」は最終的にはすべて無意識で行います。とは言ってもいきなり「無意識」では難しいでしょう。無意識に近づける実験をするために、2つのことだけ意識してみましょう。始動と、ダウンスウィングのリリースのタイミングです。あとはまったくの無意識で大丈夫です。

にはひっくり返るくらいの高さになりますが、この一番上に来たときに少し止まる瞬間があります。

人によってはその一瞬が快感だったり、気持ち悪くなったりするようですが、まさにこの止まっている瞬間が「間」です。

ゴルフのスウィングもこの『バイキング』と同じです。ヘッドの運動が切り変わる瞬間、否応なしに「間」ができます。そのためにはクラブヘッドを上げたら放っておくのです。

クラブは慣性の力でトップの位置まで自然に上がり、勝手に「間」を作り、勝手に下りてきます。

どこかに力を入れようとせず、放っておくことが最大のヘッドスピードを生み、ボールを飛ばしてくれるのです。どこかが力んでいる「間」のないスウィングは、はたから見てても、どこか不自然なはずです。かっこいいとか悪いとかではなく、風邪をひいて喉がつまっているような、居心地の悪い感じがします。

「振り遅れ」を防ぐために

みなさんは、ゴルフのスウィングに「振り遅れ」はないと思っていませんか。野球のバッティングやテニスなど、ボールが動いているスポーツでは、振り遅れを実感するのは簡単です。ゴルフではボールが止まっていますから、まさか振り遅れることはない、と思っている人がほとんどでしょう。

しかし実はゴルフにも振り遅れは起きます。

それは、「ボールを打て」という脳からの指令の遅れによって起こります。これは誰にでも起こる現象ですが、「ボールを打て」と脳が指令を出したときは、もうクラブヘッドはインパクトを過ぎています。野球のバッティングもそうですが、厳密に言えば、これは振り遅れというより指令遅れということです。

思い出してください。目をつぶってテークバックして腰の位置でクラブヘッドを止めようとしたときのことを（79頁参照）。

ほとんどの人のクラブヘッドは腰よりもずっと高い位置にありました。慣性の力で自然にヘッドが上がっていくのですが、ここにも指令遅れがあります。みなさんの脳が「クラブヘッドを腰の高さで止めろ」という指令を出します。しかしクラブはずっと先、腰よりも上に行ってしまいます。脳からの指令が遅れて、振り遅れているわけです。スウィングは無意識でできる、と第1章で述べましたが、ここでの「ヘッドを止めろ」「ボールを打て」というのは意識ではありません。自然に起きる脳からの指令です。

だから、本来は意識してどうなるものでもないのですが、どうしても指令遅れでインパクトのタイミングが合わないという人は、意識して早め早めに指令を出してみる「実験」をするといいでしょう。

まずはテークバックでクラブヘッドを腰の高さでピタリと止めるには、どの辺で「止めろ」と思えばいいかというところから始めてください。インパクトもスウィングのどの辺で「打て！」と命じたらヘッドが間に合うのか……。振り遅れはこうした「実験」によって防ぐことができます。

味方にしたい第一印象、直感

ゴルフのプレーの中に、歩測というものがあります。

特にグリーン周りのアプローチやグリーン上で見かける光景ですが、テレビのプロゴルフ中継の影響からか、グリーンエッジまで何ヤード、ピンまで何ヤードと熱心に距離を測っている人が多いようです。

いかにも上手そうに見えますが、私は歩測というのはプレーを遅らせる行動にしか思えません。無駄なことだと考えています。なぜなら、歩測することで仮に正確な距離をつかんだとしても、その数字には何の意味もないからです。

たとえば歩測で測った距離が、グリーンのフロントエッジまで81Yだったとします。みなさんはそれをたった1本のクラブを選んで打たなければなりません。81Y先の目標にボールを運ぶことができると言うことは、極端に言うと1Y間隔で81とおりの距離を打ち分けられると言うことです。

「73Y地点にも、79Y地点にも、そして81Y地点にもボールを運ぶことができる」と言うことです。

こんなことを「できる」「やれる」と思うことが間違いです。たとえ、ピタリとその距離が打てたとしても、上空には風が舞っていたり、着地点もどうなっているかわかりません。

世界のトッププロがたとえば200Y以上先にキャディを立たせ、プロのボールを手でキャッチできる範囲に正確にボールを打つことができたそうですが、我々アマチュアゴルファーにそんな高度な職人技は必要ありません。

それに、多くのアマチュアゴルファーが何十年練習を重ねても、そんなことはムダなのです。「合理的なスウィング」を身につけたら、200Y先でも「私にもできる」と思えるようになりますが、それだけではまったく意味がないのです。200Y先にボールを運ぶことができても、結果がいいとは限らないからです。風でボールが流されることもあるでしょう。地面が硬くて大きく跳ねることもあるでしょう。

私はたとえピンまでの正確な距離がわかったとしても無視し、すべて第一印象で判断します。

ゴルフコースに出て大事なのはここです。

パッと見たときの第一印象でどんなボールを打ちたいか判断することなのです。私は自分の感覚を信じているので、ラウンド中にキャディが「ピンまで残り75Yです」と言っても、私にとっては余計な情報でしかありません。

ですから、もちろん歩測はしません。

キャディにも私が何か聞くまでコースの情報は提供しなくていいと、前もって伝えておきます。

歩測しなくてもパープレーできることは私自身が証明しています。

私のゴルフは「野生のゴルフ」とも言えるかもしれません。しかし本来、ゴルフとはそういうものではないでしょうか。たとえピンまでの厳密な距離がわかっても、先ほど言ったようにそこには突然の風も吹くでしょう。気温や湿度、雨が降っていれば、ボールの飛び方も違います。ボールの着地するグリーン面の固さなどどうなっているかわかりませんし、同伴競技者や自分のスコアによって気分も変わってきます。

そういった状況をすべて取り入れてプレーするのがゴルフですから、自分の感性、直感に頼ることが、なにより大切なのです。

歩測は「デジタル」な行動です。それに対してプレーする人間とゴルフコースは「アナログ」なものです。デジタルは日常生活では便利なことがたくさんあるかもしれませんが、私の経験から言わせてもらえば、ゴルフではデジタルに頼りすぎるといいことは何もありません。

最近は計測機器を持ってラウンドしているゴルファーや、残りの距離がわかるナビゲーションつきのカートもありますが、まったくのナンセンスです。デジタルに頼り切ったゴルファーが、たとえばシーサイドコースに行って、強風と雨に見舞われ、その中でラウンドすることになったらどうでしょう。ピンフラッグが抜けそうなくらいの強風の中、距離を測ってもなんの意味もないでしょう。

自分の肌や感覚でコースを感じる気持ちがないと、ホールのレイアウトも覚えられません。コースがなかなか覚えられない、という人は日常生活でもデジタル漬けになっていませんか。自分の力で覚えようとしないと駄目です。

人間の脳はそういう仕組みでできているように感じます。クルマを運転する時にカーナビをつけてしまうと、道を覚えなくなって、ナビゲーションがないと不安になる。それと同じ理屈です。

コースを覚えられないということは、パープレーを勝ち取るための情報がたくさんある場所を素通りしてしまうということです。

歩測や機械に頼らず、自分の野生の感覚でコースを観察する気持ちを強く持ちたいものです。

ピンが手前のクラブ選択

パープレーに近づくためには、距離感を磨くのと同時にクラブ選択も重要です。選択する時間ですが、あれもこれも迷う気持ちはわかりますが、クラブ選択にかかる時間が短くなればなるほど上級者に近づいたということは、みなさんも感じることがあるでしょう。パッと直感で距離や状況が判断できれば、素早くクラブを選べますし、リズムよくラウンドできます。

クラブ選択の一例を挙げます。

こんなシチュエーションを想像してください。セントアンドリュース・オールドコースの最終18番ホール、通称「トム・モリス」を例にあげます。

全英オープンの中継で見たことがあるでしょう。ティショットを打った後に選手が渡る橋が印象深い、真っすぐなホールです。フェアウェイが広く距離もありません。レギュラーティで357Y、パー4という、風が吹かなければ距離的にも難しくないホールです。

ここであなたはドライバーを振ります。ボールはリンクス特有の硬い地面を転がり237ヤード飛ばしたと設定してください。あなたが打ったボールはフェアフェイのやや真ん中に届き、120Y残っています。

グリーンセンターまで120Y。ピンはセンターから15Y手前に切ってあります。さてこの時、みなさんはどのクラブを選択しますか。

ピンまでの距離は105Yです。

ここが大変重要なところです。

みなさんはここで、「ピンまで105YだからPWだな」と105Yの距離にちょうど合うクラブを選択してはいませんか。

多くのアマチュアゴルファーがこのように残りの距離と自分のクラブの飛距離を同じと考えます。しかし、こんなプレーをしている限りパープレーはおろか、90も切れないでしょう。

こんな時、私の場合、ピンが手前にあるからセンターまでの120Yの距離を9番アイアンで「やや弱く打つ」、と考えます。ここで105Yの距離に合うクラブを持つとほとんどがショートしてしまいます。ランも含めた距離でPW105Yの人は論外ですが、キャリーの距離がPW105Yの人でも、たいていはショートします。

なぜなら、105Yは最大の距離で、めいっぱいの距離だからです。少しのミスでもグリーンに届きません。

いつもグリーン手前にショートし、バンカーなどにつかまってしまうゴルファーのみなさんは心当たりがありませんか。そして自分はまだ練習が足りないとかいつまでたってもうまくならないと思い込んでいませんか。

こうしたときは、ピンの奥にスペースがあるのですから、めいっぱい打つのではなく、余裕を持って9番アイアンで「やや弱く」打ってみるのです。

そうすれば、しっかり当たっても120Y、グリーンセンターにパーオンです。

「やや弱く打つなんて高度な技だ」という声も聞こえてきそうですが、それも「合理的なスウィング」を身につけてしまえば、難しいことではありません。ほんの少しスピードをゆるめて振るだけです。

10も20ものチェックポイントが頭の中に渦巻いていると、「ほんの少しスピードをゆるめる」という単純な動きも難しいものになってしまいます。私の場合、スウィングをシンプルにすることで、スピードをゆるめることだけに集中できるから、結果もいいのです。

クラブ選択もこうして考えるとゴルフの幅が広がります。また、クラブの使い方が変わるだけでスコアが驚くほど変わる人もたくさんいます。

特にいつもショートしている人はこの方法を試してみましょう。

ピンに届かないのは上手く打てなかったからでも技術がないからでもなく、考え方が間違っているからだけなのです。

第7章　とっておきのスコアメイキング

●想像力を磨こう
●距離感は1メートルのパットから
●アプローチ成功の秘密
●アプローチは2つだけ
●「打ち込む」の大きな勘違い
●バンカーは2センチひじを曲げておく

想像力を磨こう

ボールの打ち方、コースの攻略法、さらに上達する方法を理解したら、スコアメイキングに入っていきましょう。

スコアの悪いプレーヤーにありがちなのは、プロにとっても難しいことをしようとして失敗を繰り返していることです。

まずは難しいことかやさしいことかを想像する力が必要です。人間はできると思ったことは潜在能力が働いて目標を達成します。コースに行くと、無謀にもできないことまでやろうとしてしまいますが、これが大叩きにつながります。

距離的に届かないのにショートカットで攻めてみる。自信がないのに池越えを狙う。林に入ってもひたすらピンを狙うなど、どれも愚かな行為です。仕事では到底そんな無理をしない人でも、コースに行くと豹変してしまうのです。

大切なのはまずは自分にできることを想像することです。上級者でもミスは当然、起きますがそれは想定内の範囲です。スコアのまとまらない人は想定外のことがたくさん起きています。

それでは最初に面白い実験をしてみましょう。

次のページにグリーンのイラストがあります。パー4のセカンドショットの状況だと思ってください。残り150ヤード。やや打ち下ろしです。天気は快晴無風を設定しましょう。グリーンの右手前にはバンカーがあります。

これだけの情報をもとに、あなたはここでどんなボールを打ちますか。

いろいろなことをよく考えて、想像し、自分の打つボールのラインを書きこんでみましょう。

コースでは「想像」することが必要になってきます。自分の想像力が弱いと、その先の展開を予想することができません。

「コース戦略」はゲームプランです。ゴルフに限らず、囲碁などの他のゲームでも同じことですが、優れたプランを立案するには一手二手と先を読み、想像をめぐらせることが重要です。それでは書いてみてください。

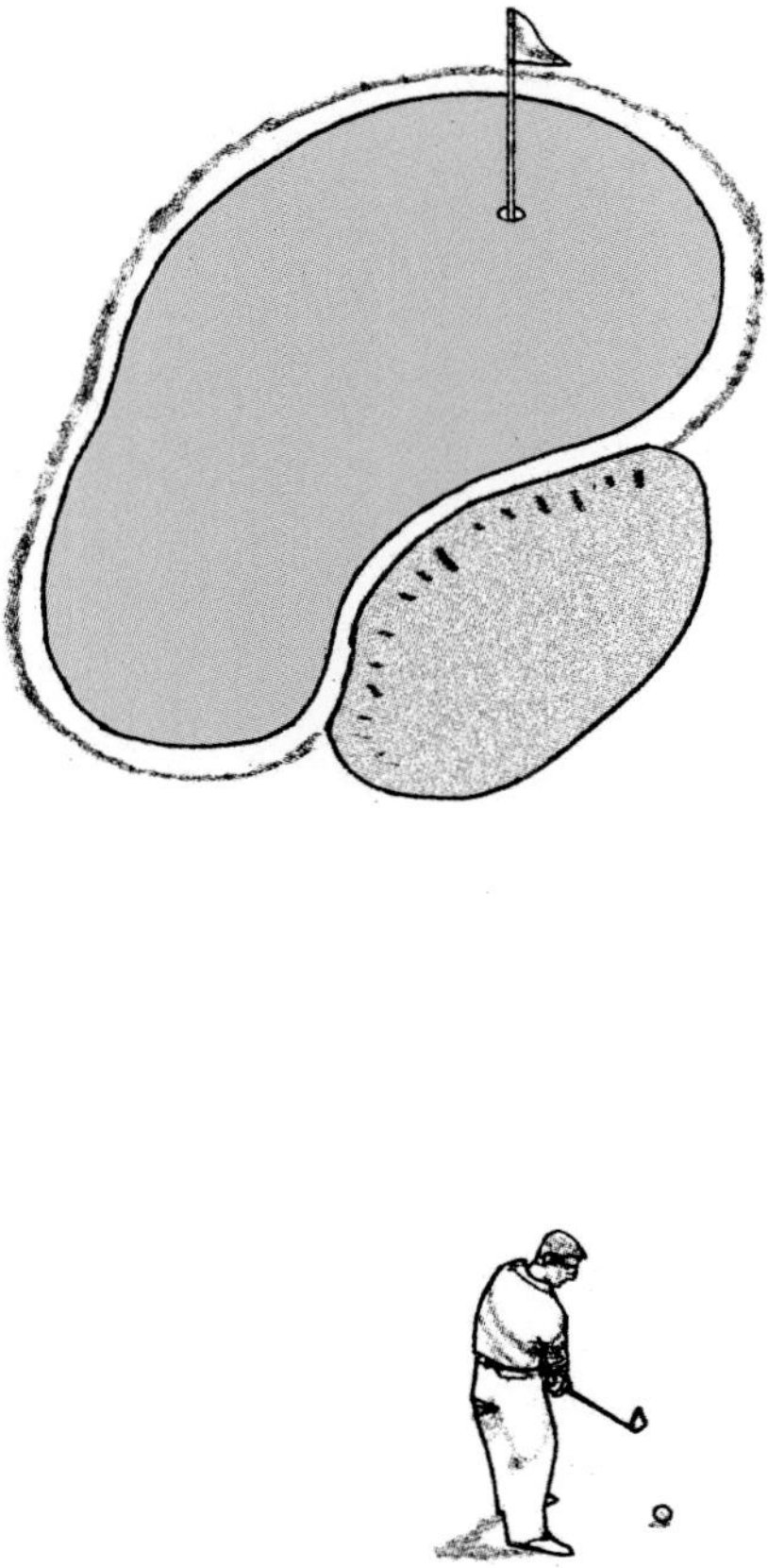

あなたはどんなボールを打ちますか？

ピンまで残り150ヤード。
やや打ち下ろしのグリーンの右手前にはバンカーがあります。
あなたはどんなボールを打つか想像して書き込んでみましょう。

さて、どんなラインが書けたでしょうか。

ここまで読み進めていただいたみなさんは、真っすぐなボールを書いた人はさすがに少ないと思いますが（願います）、右からでしょうか、左からでしょうか。まず、「守り」と「攻め」の区別はできましたか。自分の力量と相談しなくても、避けたい場所はわかりますよね。

右手前のバンカーです。

そして、「守り」のためのボールに加え、「攻め」るためのボールの2種類を想像し、最低2本のラインを書けたかどうかが重要です。

上級者は将棋を指すように何手も考えます。無理して頭をひねっているわけではありません。レベルがあがってくると、自然に何通りもの攻め方、守り方が見えてきます。「守り」と「攻め」のバリエーションとして、球の高低、スピンのかかり方、クラブ選択までを考えて書いていく人もいるでしょう。

ここで1本のラインしか引かなかったゴルファーは、自分はそのボールしか出ない、と決めつけてしまっています。または「そのボールしか打てない」とも思ってしまっています。いくらできることしかやらないといっても、できることがひとつだけ、ということはないでしょう。

もっと想像力、イマジネーションを膨らませて、自分ができることを考えてみましょう。またゴルフゲームをプレーするには「守り」と「攻め」の最低2つのボールが必要という発想を持ちましょう。

次のページに私が書いたものがあるので見てください。

前述した通りこのホールの場合、「守り」の部分で徹底的にバンカーを避けたいレイアウトです。そのためもっとも安全な策を考えると、ドローボールでグリーンに乗せる方法になります。さらに安全な方法をとなると、絶対バンカーに入らないように、ショートさせてグリーン手前に運ぶ方法もあります。

グリーンに乗らなくても、手前から寄せればいいのです。ウェッジに自信がなければ、場合に寄ってはそこからパターで転がしピンそばまで寄せてもいいのです。

これが「守り」のショットです。

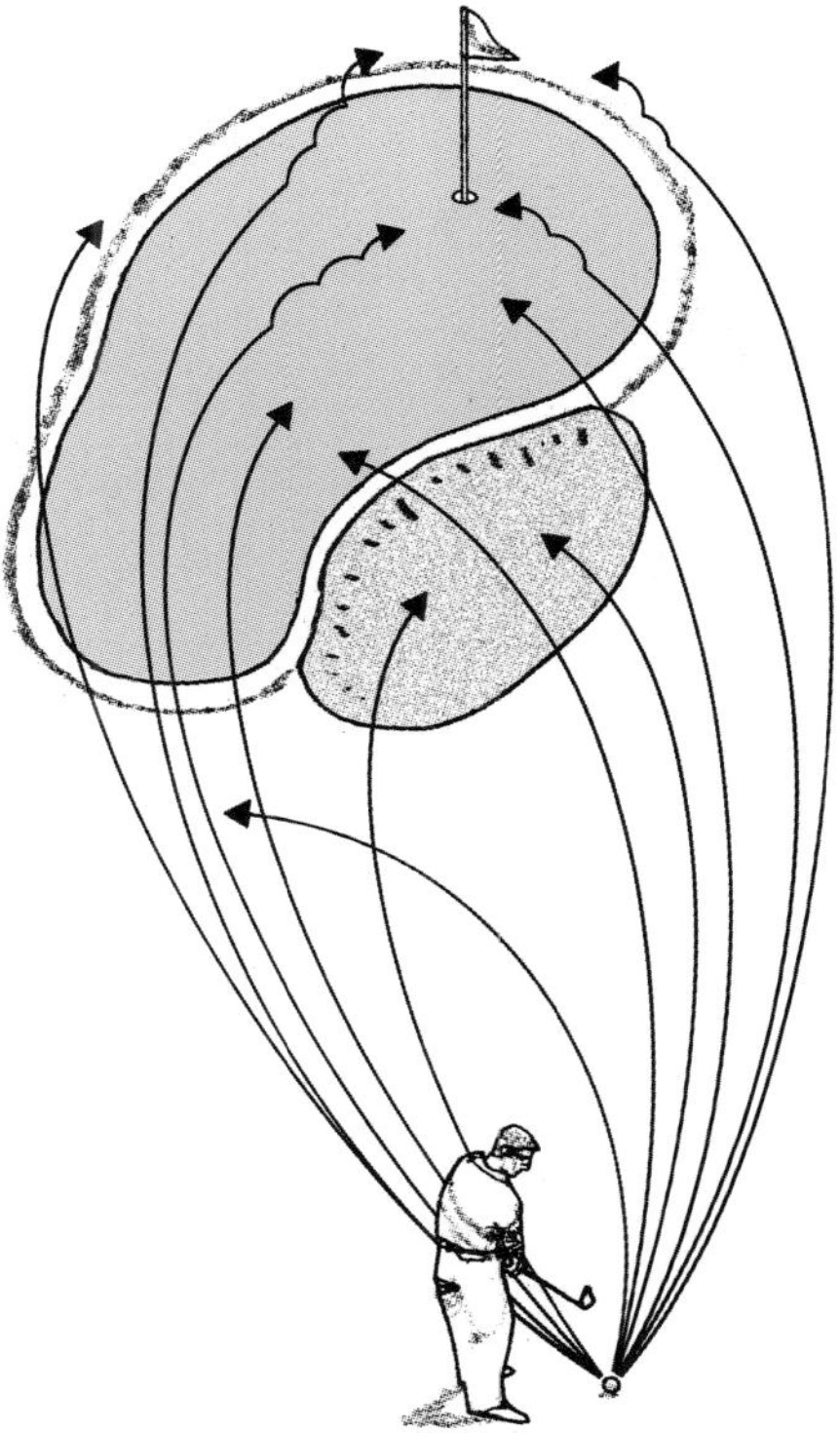

あらゆる球筋を想像できることが大切

グリーンに対して、あらゆる可能性の球筋が想像できることが大切です。うまくいくボール、ミスするボールも想定しましょう。その中からこのラインは「攻撃」。こっちのラインは「防御」を考えていくのです。パープレーを目指してゴルフをしていくと、描く線が多くなってきます。どこに落としたいか、どこに落とせるか。そして防御、戦略のラインがわかると攻略の幅が広がります。これがコースの戦略です。

距離感は1メートルのパットから

「パッティングはどうやって練習したらいいのですか」

毎日のように自宅で、そしてラウンド前の練習グリーンでカップに向かって反復練習しているゴルファーの疑問は尽きません。これだけ練習しても、まだ練習方法を追及するのですから、ゴルファーというのは本当に努力家です。

パッティングはその打ち方よりも、「ラインを読む」ことのほうが断然、重要です。ボールがどちらに、どうやって転がっていくか、転がるスピードはどんな感じかということです。もちろんこれも直感が大切です。

パッティングにおいて、距離感の「ものさし」というのもありません。

距離感は、ドレミのドを聴いたらわかると言う絶対音感のようにはいかないのです。しかしながら、人間は相対的な違いを判断する能力を持っています。このくらいで1メートル転がる、このくらいで2メートルという違いは、複雑に考え込まなくても自然にわかります。

もし、みなさんが距離感に関してなにかやりたいのであれば、ボールを1メートル先で止める「実験」をしてみるといいでしょう。これは練習ではありません。どんな芝の上からでも即座に、その状況に対応できるようにするための「実験」です。

コースではいつも同じ芝が待っているとは限りません。順目逆目の違いはもちろんですが、目の細かい荒い、葉の硬い柔らかい、芝の伸び具合、砂の入り具合など、まさにホールごとにグリーンの状態は違います。

だからみなさんが、いくら朝、練習グリーンで同じところから反復練習しても意味がないのです。

「1メートルの距離」の実験は、練習グリーンのあらゆるところから打ち、ぴたりと1メートル先で止めます。1球打ったらすぐに場所を変えます。ボールを打ったら、止まった地点まで行き、そこからまた1メートル打ってと、テンポよく、考え込まずに連続してやりましょう。

練習グリーンでボールを3個出して、同じところから連続で打つ人がいますが、これはまったく意味がありません。1打目をオーバーして、2打目ショート。3打目にカップに入って「距離感がわかった！」と喜んでいるようですが、3回も打てば入って当たり前です。コースでは同じところから3回も続けて打てないのですから。

米女子ツアーで活躍するアニカ・ソレンスタムも、グリーン上では新鮮なボールを打つ練習をしています。

ジュースを飲むときに使うコースターのような丸い紙を、キャディがグリーンの上に放り投げます。すると彼女は、そのコースターが着地すると同時にそこに向かってさっとボールを打ちます。キャディは紙を2枚、3枚と増やしていきます。落ちる場所はまばらになりますが、即座にコースターに向けてボールを打っていきます。これこそがまさに「実験」です。

みなさんも無意識に芝の状況に対応するために、絶対に入れたい1メートルの距離から実験を始めてみましょう。複雑に考えてはいけません。

瞬間的に反応すれば、それで潜在意識にインプットされ、1メートルのパットを外さなくなります。

グリップエンドを上昇させると
クラブが正しい軌道でインパクトエリアを通ります。

アプローチショット、バンカーショット、パッティングのショートゲームでは、特にホウキを掃くときの動きを作りましょう。インパクトの直前からインパクトにかけて、グリップエンドはホウキのように上昇させます。

アプローチ成功の秘密

スコアメイキングでパットの次にウエートが高いのがアプローチです。スコアがまとまらない人の多くはアプローチが苦手なのではないでしょうか。

トップ、シャンクにザックリ……。パープレーができる人でアプローチが苦手な人はあまりいません。

ここでは、私が発見したとてもやさしいアプローチの方法についての秘密を明かしましょう。

ダフリやトップがゼロの打ち方、それはホウキの動かし方に似ています。落ち葉を掃くときに使う竹ボウキを想像してください。右利きならば、ホウキの穂先は右から左へと地面と平行に動きます。このように芝の上にあるボールを打つときのウェッジのヘッドもホウキの穂先と同じように地面と平行に動けば、ミスは起こりません。

このヘッドの動きを作るのは竹ボウキを掃く動きとまったく同じです(157頁参照)。

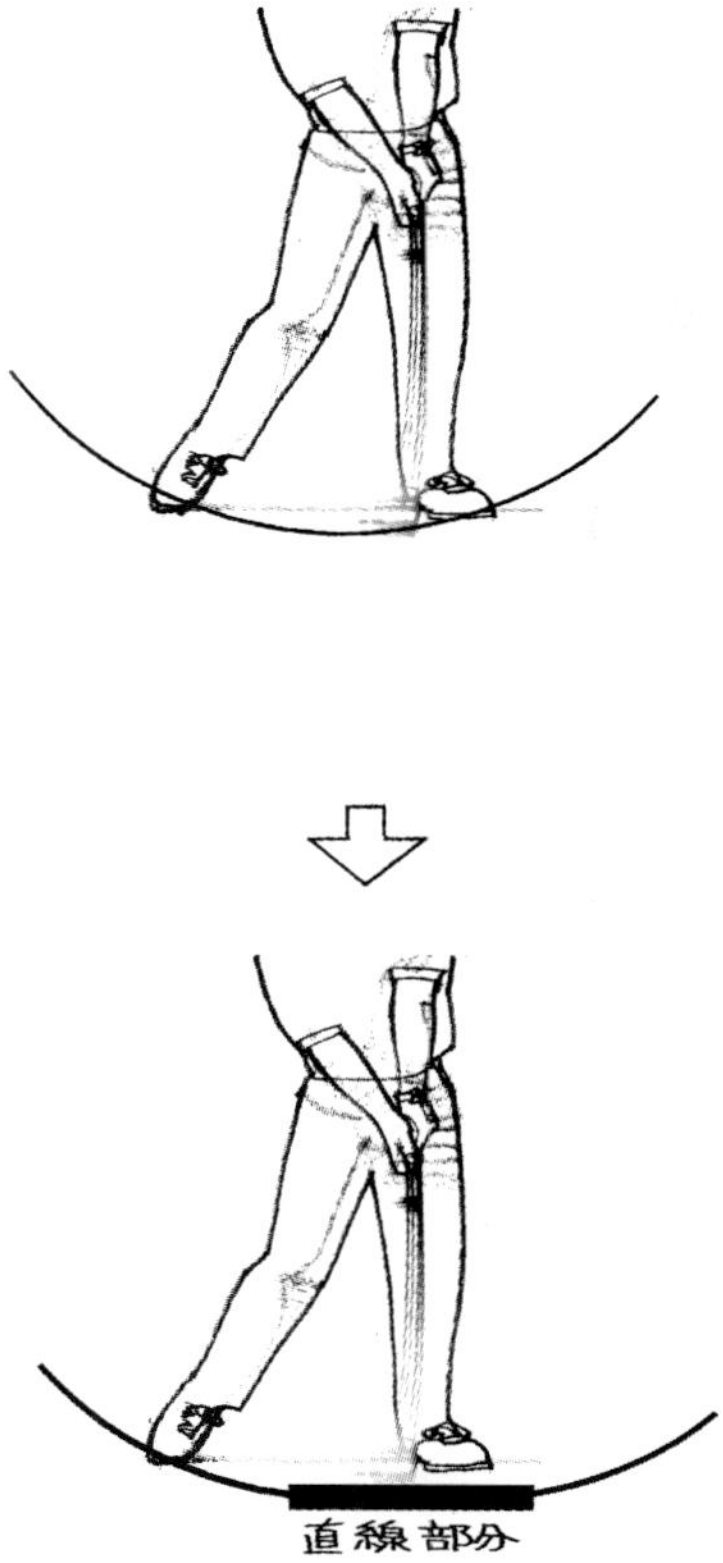

正しいスウィングの軌道で
インパクトエリアは点ではありません。
直線なのです。

多くのゴルファーは軌道は円で、インパクトエリアは点だと考えていますが、実は上級者のクラブヘッドはインパクト付近で直線を描いています。「点」と「直線」のとちらが有利で、またミスが出にくいかは一目瞭然でしょう。

どのようにチェックするかというと、ホウキを掃くときに自分の手を見ると左上に上がっています。そうすると先端は地面を平行に滑りながら動きます。ウェッジの場合であれば、ソールにあるバウンスが地面に刺さることを防止しながらヘッドが地面を滑ってくれます。

どうですか。

やってみるとなるほど、と思えます。この動きは、アプローチだけではなく全部のショットに共通することでもあります。このことを知っておくと、特に小技でのチェックポイントとして役立ちます。

そしてもうひとつ。次はクラブヘッドの「軌道」を思い浮かべて見てください。正面から見るとヘッドの動く軌道はどんな図形になるでしょうか。

たぶんほとんどの人がコンパスで書いたようなきれいな曲線を思い浮かべるのではないでしょうか。

このとき考えてもらいたいのはインパクトの前後です。

きれいな曲線は地面にただの1点「・」でしか接しません。アプローチの苦手な多くのゴルファーはグリップエンドを体の中心にセットし、グリップエンドか背骨を中心に、クラブヘッドで円を描くイメージ、つまり「・」でボールを打つ感じを持っているのではないでしょうか。

そこでみなさんの頭の中で、「・」でとらえているインパクトの前後を「直線」にしてみて下さい。ハガキを横に置いた感じの横長のインパクトができます。

実はアプローチショットも含めたすべてのショットのインパクト前後のクラブヘッドの動きというのは「・」ではなく、そのくらいの幅がある「インパクトエリア」と呼べるものなのです（159頁イラスト参照）。

クラブヘッドの軌道に地面と平行な部分があることは、実際のショットを高速度カメラで撮影し確認しています。ダウンスウィングで下降してきたクラブヘッドはインパクト直前からインパクト直後にかけて地面と平行に移動します。

ボールを右足の前に置きウェッジをハンドファーストにしてグリップエンドを自分から見て左上に引き上げると、置かれたボールは目標方向にスムーズに押し出されていくことがわかります。この時、インパクトは横長の直線になっています。

実験はターゲットを25ヤード地点にしてアプローチウェッジを使用して行いましたが、検証の結果「繰り返し精度の高いショットを打つことのできる上級者のインパクトエリアにおけるクラブヘッドの軌道には直線部分が存在し、円軌道上の1点でインパクトしていないことが認められた」という結果が出ました（『合理的なゴルフスウィングに関する一考察（その1）インパクトエリアにおけるクラブの動きについて』A Study of Efficient Golf Swing (Vol.1) Path and movement of golf club at impact 上智大学体育38号 上智大学・大串哲郎他）。

つまりヘッドの描く軌道はきれいな曲線ではなく、地面と平行な直線部分が少し存在していた、ということです。

この結果でみなさんの頭に残していただきたいのは、インパクトは「・」でないという部分です。バンカーやアプローチショットでざっくりしてしまうのは、インパクトの一点、まさに「瞬間」を信じ込んでいるからでしょう。瞬間だから、一点だから難しい、大事にいこうと思ってしまっているのです。

アプローチは2つだけ

パープレーを目標としているゴルファーでも、2種類のアプローチショットができればなんら問題ありません。特に難しい技を体得しようとしないことがパープレーへの近道です。

必要なアプローチは、

①低く打ち出して転がるボール

②高く上がって止まるボール

の2つです。

このアプローチショットでももちろん「合理的なスウィング」の3つの方法を組み合わせて使います。クラブがウェッジに変わるだけで、スウィングの基本はまったく同じです。ボールの位置やスタンス、体重配分も関係ありません。

「パープレーの72を目指すならもっと多彩で高度なテクニックが必要では」と考えるゴ

ルファーも多いでしょう。でもパープレーで回るためには、この2つで十分です。たとえば、バンカー越えや砲台グリーンへのアプローチなら②、ピンが奥なら①、ピンまで近ければ②、ラフなら②と、すべての状況に対応できます。

パッティング同様、打ち方に気をとられてもいけません。ピンにしっかり寄せるためには、状況判断など、打ち方以外のことに集中しなければならないからです。

距離感やボールの落とし場所を気にするゴルファーも多いでしょうが、そこは潜在意識にまかせましょう。誰の体にも、もとから備わっている能力です。クラブを構えてピンを見れば、「あの辺にボールを届かせたい」と自然に思い、体が反応するようにできています。

どこまでクラブを上げて、ランニングアプローチ、ピッチ&ラン、ピッチショット、ロブショット……ということは一切、意識しない方がいいでしょう。

それよりも打ちたいボールのイメージ、「想像」をしっかりしましょう。必ずあなたの潜在意識や体は、状況に反応してくれるはずです。

「打ち込む」の大きな勘違い

ここではさらに多くのゴルファーが勘違いしている「打ち込む」という動きについて説明したいと思います。これはアプローチショットだけでなく、バンカーショット、パッティングの他アイアンショット全般に共通します。

アマチュアの多くが信じて疑わない、ボールをクリーンに打つために、ダウンブローに「打ち込め」という教えがあります。すくってはいけないともよく言われていました。実際はクラブヘッドは前述したように地面と平行に動くものですが、多くの人はグリップエンドを下げてしまうのです。結果としてクラブヘッドのリーディングエッジが地面に刺さり、ザックリやシャンクが起きるのです。

アプローチが上手くいかないときは、手がボールよりも飛球方向に出る、ハンドファーストのセットアップを確認した上でインパクト前後でグリップエンドが上昇しているかをチェックしてみてください。

もしかしたら、クラブのグリップエンドが下降するように動いていませんか。正しいスウィングをすれば、グリップエンドは少し手前からインパクトにかけて徐々に上昇していきます。極端に上昇するわけではなく、少しずつ上がります。先に述べた軌道の実験の際、ヘッドの動きが正しければ、手やグリップエンドは自然に上昇していくことが判明したのです。

やはりホウキを例に取って説明しましょう。

ホウキを掃くときも、右から左に掃いてみるとホウキの柄（グリップエンド）が自然に上昇していきます（157頁イラスト参照）。やってみるとわかりますが、ホウキの柄（グリップエンド）を下げながら掃くほうが難しいのです。

クラブヘッドが正しい軌道を通ると、グリップエンドは上に向かっていくということを覚えておいてください。もちろんこれは意識的にすくい上げるのではなく、自然に上昇していきます。

バンカーは2センチひじを曲げておく

バンカーショットでも「打ち込む」というイメージを持っているゴルファーは大勢いるようです。コースでもバンカーで何発も打ってしまっているゴルファーにむかって「しっかり打ち込んで！」と声をかけるゴルファーも少なくないようです。

しかし考えてみてください。通常、あんなにも軽いバンカーの砂に、体をめいっぱい使う必要はないでしょう。バンカーショットでは、ボールの手前にクラブを打ち込んでしまうと、砂を多く取り過ぎてしまい、飛ばなくなることが起こります。そのような仕組みをわからず、打ち込み続けてもまったく無意味です。

なぜ多くのゴルファーがバンカーで打ち込もうとしてしまうのでしょうか。それはエクスプロージョン＝爆発というイメージがあるからだと思います。

従ってエクスプロージョンのイメージを持つのはやめましょう。アプローチのように潜在意識で自然に振れば、特別な力も余計なクラブの動きも必要なく簡単に出すことができます。

それでもバンカーに苦手意識があるならば、ボールを打つときに、クラブヘッドがどこをどうやって通るのかを考えてみてください。具体的にはボールの約2センチ下をサンドウェッジのヘッドが砂面と平行に動くイメージを持って「実験」することをおすすめします。

その実験方法を説明しましょう。

まずアドレスで両ひじを曲げます。

両ひじを完全に伸ばした時にボールの下2センチに届く程度に曲げておくのがポイントです。力はまったく入れません。ひじを緩める感じです。そして曲がった両ひじをダウンスウィングで一気に解放するのです。開放するといってもその2センチ分だけですから、もちろん力は必要ありません。そうするとクラブヘッドはボールの下を滑らかに動き、ボールは簡単に宙に舞います。

まだバンカーショットが上手くいかない人は、もうひとつチェックポイントを増やしてみましょう。それは、さきほどのアプローチと同じように、インパクトゾーンでグリップエンドが上昇しているか確認する方法です。

インパクトゾーンでグリップエンドが下降して打ち込みすぎになっている可能性がありますので、ホウキの柄のように上昇していくイメージを思い出しましょう。自分でゆっくりグリップエンドを動かしてみて、上昇していく動きの仕組みを理解するといいでしょう。

ボールの下2センチとグリップエンドの動きの2つをキーワードにしておけば、バンカーはとてもやさしくなります。

バンカーショットが下手な人というのはいません。

他のショットと同じくバンカーショットの「方法」が間違っているだけです。3つの要素で作る「合理的なスウィング」はアプローチショットでもバンカーショットでも同じように使えます。

それからコースにおいて、「つま先上がり、つま先下がり、左足上がり、左足下がり などの傾斜地の場合にはどうすればいいのですか」、というゴルファーのためにつけ加えておきますが、そもそもそういう発想自体、ゴルフを複雑にしています。

ゴルフで大切なのはこのようなコンテンツではなく、あらゆる状況に対応できるストラクチャーです。

ライが平坦でないと、ボールの位置をどうするか、体重移動はどうするか、重心はどこにかけるかというようなことをコンテンツで処理しようとしたら、レッスン書が何千冊あっても足りません。意識するようですが、たとえばレッスン書にあることを全部やっていったら、とてもできないことばかりです。

そんなことは考えなくていいのです。

要はみなさんがその場所から事前に「どんなボールを打ちたいか」とイメージすることです。今でも考えているつもりだと言うゴルファーも少なくないでしょう。でも本当に考えていますか。それもできるだけ具体的に考えているかどうかが重要です。

ピンに届かせたいのか、バンカーを避けたいのか、フェアウェイの左側を狙っているのか、すべてはプレーヤーがどんなボールを打ちたいのか、「想像」するところにあります。

弾道や球筋を想像できれば、あとは体は勝手に反応してくれます。だから重心位置やウェート配分、体重移動などは一切、考えなくていいのです。

普通のショット同様、ヘッドをどう動かすかだけ、きちんと準備してからスウィングに入りましょう。

それですべて解決です。

第8章　ようこそ、パープレーの世界へ

●効果的なレッスンを受ける姿勢
●不調脱出の6つのチェック
●プロとあなたはまったく違わない
●コースでは天才バカボンのパパがいい「のだ」

効果的なレッスンを受ける姿勢

いよいよ最終章です。みなさんの中にはしっかりとパープレーを目標にするベースができていることを期待します。繰り返しますが、今までになかった「合理的なスウィング」を覚えるだけで、パープレーは可能だということを信じてみてください。練習も一切、要りません。いたって簡単でシンプルなスウィングです。

みなさんの中には、これまでになんらかの形でゴルフのレッスンを受けたことのある人が大勢いると思います。そこで今後、たとえばレッスンを受ける際のポイントをひとつ紹介したいと思います。

長年ゴルフをやってきて、こうした本を読まれるようなみなさんは、ゴルフに関する知識は十分すぎるほど持っていると思います。それでも誰かに習いたい、ということは上達したい、ということですから、とてもいいことです。しかしここで不思議なのは、レッスンに行くと多くのゴルファーが自分で答えを用意して、先生よりも先まわりして発言してしまうことです。

たとえば先生があなたのショットを見て「どこか気になりますか」とひと言聞いただけで、「スウィングが小さくて飛距離が足りない」「ボールが曲がるのは体重移動で右に乗れない」「オンプレーンにならなくて、真っすぐなボールが出ない」「どうしてもトップの位置が決まらないんです」という具合に自分でストーリーを作ってしまいます。

最初から自分で答えを用意して合点してしまっては、何のためのレッスンだかわかりません。さらに先生も、「ではスウィングを大きくしましょう」「体重移動で右に乗れるようにしましょう」「オンプレーンに振りましょう」「トップの位置を確実にしましょう」と希望をかなえるレッスンを始めかねません。もちろん、そのどれもが、部分的なレッスンでしかありません。

これまでに述べてきたように、ゴルフは体にムリのない動きだけでできるゲームです。潜在能力によって体は自然に正しく動いてくれます。肩、腕、手首、腰、足とすべて連動して動く体に対して、みなさんはたとえば腰の使い方といったように、部分的に教えてもらうおうと自分で誘導してしまっています。

これではスウィングが複雑になって、パープレーの世界には到達できません。いつまで経ってもスウィングひとつ覚えられないから、マネジメントやショートゲームまでたどり着けず、80台すら難しいでしょう。

なぜ自分で結果を先に言ってしまうのでしょう。

それはおそらく、今までやってきた自分の方法が間違っているとは思いたくない気持ちがあるからです。自分の今までの徒労を認めたくないのです。

自分はまあまあのスコアで結構うまくできている。84から88打くらいでそう思えるでしょう。調子が悪いと90、92くらい、今日は最高、というのが80、82というのがアベレージゴルファーでしょうか。

でもこの数字に満足してはいけません。

ゴルフコースは状況、天候によって難しさも変わりますが、誰もが「72」で回れるように設計されているのですから。

今後、レッスンを受ける時は、初回は黙って受けてみることをおすすめします。自分からスウィングの解説をするのはやめましょう。

どこが気になるかと聞かれたら、「飛距離を伸ばしたい」とか「ドローボールが打ちたい」と希望だけを言ってみましょう。もちろん「パープレーでまわりたい」と言ってみるのもいいでしょう。そして、もうおわかりだと思いますが、せっかくレッスンを受けても、練習場で教わったことを反復練習ばかりしていては上達はしません。

不調脱出の6つのチェック

この項目は、「合理的なスウィング」の方法のチェックシートです。

みなさんがボールを打つ方法に迷ってしまったら、ここだけを読みかえして確認してみるといいでしょう。何十年も身についた複雑な打ち方と、シンプルな「合理的スウィング」はまったく違う打ち方ですから、迷うこともあると思いますが、心配はいりません。

「合理的なスウィング」のメリットは、たとえ一時的に不調になっても、すぐに戻せることです。このスウィング要素は「軌道」「フェースの向き」「リリースのタイミング」

の3つでした。まさにこれがスウィングのパスワードになっています。

偶然的にしか出ない真っすぐなボールだけ外して、バラしてみましょう。
①「インサイドアウトの軌道」
②「アウトサイドインの軌道」
③「右向きのフェース」
④「左向きのフェース」
⑤「腰より上でのリリース」
⑥「腰より下でのリリース」
この6つしかありません。パスワードはたったの6つです。

あなたのスウィングのどこかがおかしくなって、それが少し続いて「スランプだ……」、と思ったら6つのことを思い出し「実験」してみればいいのです。

「おかしくなったのは軌道?」と①②を試します。

「違うな、フェースの向きか」と③④を試します。

「これも違うな、リリースだ」と⑤⑥を試します。

こうしてバラしてひとつひとつ実験してみると、原因がすぐにわかります。みなさんの今までのスウィングでは、何が原因でおかしくなってしまったのか、それを究明する方法を見つけるのが難しくありませんか。

そしてスランプにはまっていませんか。

実はゴルフのスランプは、血と汗と涙の反復練習をしてシングルになったような上級者やプロたちの方が陥りやすいのです。それは、膨大な練習量のせいでチェックすることが多過ぎるからです。

こちらはわずか6つ。10分もあれば原因が解明できます。

プロとあなたはまったく違わない

この本では、プロのように何千発、何万発のボールを打つことはアマチュアには必要ない、と再三言ってきました。アマチュアはそんなことをしなくても簡単にパープレーで回れるからです。

実際にプロのトーナメントに出かけ、プロのボールを見ると「やっぱりアマチュアゴルファーとプロは違うな」と言うゴルファーがいるようですが、それはまったくの勘違いです。

前述で鰻重の松を選びましょうという高い目標を持つ意味を述べたように、90を切ることができないアマチュアがゴルフショップに行って「プロと同じ仕様のドライバーが欲しいんだけど」と求め、パープレーを目指す。

それでいいのです。

ひとつ違うと言えば、それはモチベーションの問題です。

プロは「プロになってアンダーパーで回るぞ」と思ったからそれが現実のものになったのです。アマチュアでもパープレーで回っている人は、「パープレーの72でラウンドできる」と思った人がそうなっただけの話です。

まずは自分がどんなゴルファーになりたいか、を想像して思うことが、本当に大切なことなのです。

コースでは天才バカボンのパパがいい「のだ」

ゴルファーの言い訳は枚挙にいとまがありません。

「このところ、しばらくクラブを握っていないからなあ」「今日初めて使うドライバーなので、上手く当たるかどうか……」、「最近腰をやられて調子悪いんだよな」、スタート前になるとどこのコースでもこんな言葉が独り言のようにあちこちから聞こえてきます。

それにしてもよく言い訳を考えるものです。

また、「～のに」もアマチュアゴルファーの常套句といっていいでしょう。

「せっかく会社を休んでゴルフなのに、雨だ」、「今日は早めに家を出たのに、事故で渋滞してしまった」、「フェアウェイのど真ん中に打ったのに、行ってみたらディボット跡にはまっていた」、「せっかく2オンしたのに、3パットだよ」などなど。

これらに共通するのは、関係ないことと関係ないことをつなげて文句にしてしまうということです。この言葉は精神面に悪影響を与えています。

会社を休んだことと雨は関係ありません。ゴルフに行かなくても雨は降っていたでしょう。フェアウェイのど真ん中だからといってディボット跡がないなんてことは言い切れません。2オンと3パットに関連性はなく、まったく関係のないことです。

それを無理につなげて、自分から精神的に悪い状況をつくり出しているのです。こうした暗い、マイナスの精神状態では、いいプレーなど期待できません。

こんな場合は、「〜のに」ではなく「〜のだ！」を使ってみたらどうでしょう。

「せっかく会社を休んでゴルフなのに、雨だ」と言わず、「今日は楽しいゴルフなのだ」と言ってみます。「フェアウェイのど真ん中に打ったのに、行ってみたらディボット跡にはまっていた」ではなく、「フェアウェイのど真ん中に打てたのだ」と言ってそこで言い切るのです。

赤塚不二夫氏の『天才バカボン』のパパではありませんが、このように「〜のだ」と断定してしまうと、同じ状況でも気分的に愉快になります。「せっかく2オンしたのに、3パットでバーディを取り損なってしまった」ではなく、「パー5で2オンできたのだ！」と言えば、誰だってうれしく、明るくなるはずです。次のホールを前向きな気持ちで迎えられます。

このようにゴルフは、自己対話の仕方で、気分がガラリと変わることが少なくありません。たとえば、自分ではちゃんと当たっているつもりなのに距離が合わないということがあります。ナイスショットしたのにボールが突然の風に乗って、はるかグリーンをオーバーしてしまった。結果的にはミスですが、このことは防ぎようがありません。こんな時は、たとえグリーンをオーバーしてもナイスショットと考えていいのです。「いいショットをしたのに……」と言わずに「いいショットをしたのだ！」と言えばいいのです。

いずれにしても、ラウンド中に一切、否定的な言葉は使わないこと。そしてプレー中もミスしたことは口にせず、いいことだけ「ラフからうまく打ったのだ！」「バンカーから1回で寄せたのだ！」とつぶやくのです。自分の周りをいい環境にしてプラスの影響を受けることも、パープレーへの近道です。

最後にこのことを書いたのは、この本を読んですぐに実践できる、自己対話法がこの

「のだ！」だからです。

気持ちを前向きにしなければパープレーは目指せません。

どうぞみなさん、「この本を読んだのに、ボールがちゃんと当たらない」ではなく「パープレーを目指せる本を読んだのだ」と言いきってください。間違いなく展望が開け、世界が明るくなります。

あとがき

幸いなことに人よりもはやくスウィングの仕組みに気がつき、合理的なボールの打ち方を若くして知った私は過去JGAハンディキャッププラス2・9までをいただき、現在はプラス1を維持するアマチュアゴルファーです。

スウィングという3次元的な動きをゴルフのレッスン書や雑誌は写真という2次元でとらえているから、それを見ても意味がないのでは、と若い頃に思いました。ゴルフをはじめたての頃です。若い私がそう思ったのは、天文学が好きで星をよく見ていたからだと思います。平面的に見える星でも、星と星の間には何万光年、何億光年もの開きがある。私はたとえば、4つの星を線でくくってもそれは壮大な立体になるため、いつも立体の中にある空間を感じていました。その立体幾何学的な視点が、ゴルフのスウィングを3次元的に見るきっかけになったのだと思います。

ヘッドの動きから考えた「合理的なスウィング」の質の高さは私自身が練習をせずし

てプラスハンディを維持していることで証明されるでしょう。言葉で言うとなかなか信じてもらえませんが、このスウィングを一度修得してしまえばゴルフはとても簡単になります。

世界で活躍するプロたちは、ジュニアの頃からゴルフを始めて、数年でアンダーパーが出せるまでに成長します。毎年ホームコースで開催されるジュニアの大会では、競技委員として彼らのプレーを見ています。すると長年ゴルフに取り組むメンバーの多くが入れてしまうフェアウェイバンカーにつかまるジュニアは、ほとんどいません。彼らは当然のようにボールをコントロールして危険を避け、距離を合わせ、パーを取ってきます。誰が教えるのでもなく、ゴルフゲームの本質を本能でつかみ、すぐにパープレーで回れるようになっていきます。

私は「パープレーする」と決めるところからゴルフを始めました。決めたら方法と能力は後から自然についてきました。コーヒーを飲むようにスウィングして、当然のように72が出たのです。

みなさんも上手くなりたいでしょう？　ならば怖がらないでパープレーを目標にして

ください。目標がパープレーだと何か困ることでもありますか？　さあ、ぐずぐず言わないで、今すぐ「72」で回ると決めましょう。

本書刊行にあたり、ゴルフダイジェスト社の木村襄司会長には並々ならぬご尽力を頂きました。またこうして出版の機会を与えてくださった中村信隆編集局長、本書の構成・編集をお手伝い頂いた書籍映像グループのチーフエディター宮野智雄氏とエディター市村まや氏にこの場を借りてお礼を申し上げたいと思います。

二〇〇七年二月

佐久間　馨

佐久間　馨
さくまかおる。1955年生まれ。大学で専攻した宇宙工学の知識を基にスウィングのメカニズムを科学的な視点から研究。独自のスウィング論、上達法を編み出す。またプレー中、いつも最高の精神状態を生み出す自己対話法を神経言語心理学「NLP」を基に開発。「ゴルフNLP」メンタルトレーナー。東名CCのクラブチャンピオンやトップアマとして、競技で活躍する52歳。JGAハンディプラス1。「ゴルフ科学研究所」主宰。www.golfkagaku.co.jp

装丁　副田高行
マーク　藤枝リュウジ
挿絵　橋田幸雄

ゴルフダイジェスト新書07
練習ぎらいはゴルフがうまい！
プラスハンディが考えた合理的スウィング作り
2007年3月6日　初版発行
2007年10月31日　第6刷発行
著者　佐久間　馨
発行者　木村玄一
発行所　ゴルフダイジェスト社
〒105－8670　東京都港区新橋6－18－5
TEL03（3432）4411（代表）　03（3431）3060（販売）
組版　スタジオパトリ
印刷　大日本印刷
定価はカバーに表記してあります。乱丁、落丁の本がございましたら、小社販売部までお送り下さい。送料小社負担でお取り替えいたします。

ISBN　978-4-7728-4076-7　C2075

ゴルフダイジェスト新書

中古クラブは勉強してから買いなさい

ときめくゴルフクラブ見つけ学

マーク金井

「試打１０００本」のクラブマニアが教える、目からウロコの中古ショップ活用術。自分に合ったこの1本が必ず見つかる、技ありのゴルフクラブ選び。ドライバーからパターまで、買わずにいられない50モデルの試打レポート付き。

「ありがとう」のゴルフ

感謝の気持ちで強くなる、壁を破る

古市忠夫

前向きな心と「ありがとう」の気持ちを武器に、阪神淡路大震災を乗り越え、60歳でプロテストに合格した古市忠夫が語る、奇跡と感動の上達法。感謝の気持ちを持てば、イヤなＯＢホールも大事なショートパットも、もう怖くない。